C언어와 아두이노로
구현한 디지털 논리회로

C언어와 아두이노로 구현한 디지털 논리회로

발   행 | 2024년 04월 15일

저   자 | 이은상

펴낸이 | 한건희

펴낸곳 | 주식회사 부크크

출판사등록 | 2014.07.15.(제2014-16호)

주   소 | 서울특별시 금천구 가산디지털1로 119 SK트윈타워 A동 305호

전   화 | 1670-8316

이메일 | info@bookk.co.kr

ISBN | 979-11-410-8093-8

www.bookk.co.kr

C 언어와 아두이노로 구현한 디지털논리회로

이은상 지음

차 례

머리말

　디지털 논리회로와 C언어를 가르치며 학생들이 이 과목들을 쉽고 재미있게 배울 수 있는 방법에 대해 오랜 시간 고민해왔습니다. 또한, 제한된 학부 수업 시간 내에 아두이노의 핵심 내용을 전달하고 싶다는 개인적인 희망도 있었습니다. 이러한 고민과 바람을 해결하고자 이 책을 집필하게 되었습니다.

　이 책은 디지털 논리회로의 기본 개념을 충실히 설명하면서, 그 내용이 실제로 C언어 및 아두이노 프로그래밍에 어떻게 적용될 수 있는지를 연결지어 설명하였습니다. 이는 C언어를 제대로 이해하려면 디지털 논리회로에 대한 이해가 선행되어야 하고, 아두이노를 효과적으로 활용하려면 C언어의 지식이 필수적이라는 점을 반영한 것입니다.

　이 책을 통해, 디지털 논리회로, C언어, 아두이노 프로그래밍의 상호 연결된 지식을 한눈에 볼 수 있게 될 것입니다. 이를 통해, 각 학문 분야에 대한 깊이 있는 이해는 물론, 이들이 실제 세계에서 어떻게 통합되어 작동하는지에 대한 흥미와 관심을 더욱 증진시킬 수 있을 것입니다.

　"아두이노로 구현한 디지털 논리회로"는 학생들과 프로그래밍 및 전자공학에 관심 있는 모든 이들에게 C언어와 아두이노의 창의적 사용을 깨우칠 수 있는 계기를 제공할 것입니다. 이 책이 여러분의 학습 과정에 실질적인 도움을 주고, 더 나아가 새로운 발견과 학문에 대한 즐거움으로 이어지기를 바랍니다.

2024년 4월 저자

제1장 디지털

1.1. 개요

1.1.1 디지털 신호

디지털 신호는 정보를 이산적인 값으로 표현한다. 특히 0과 1과 같은 두 가지 상태를 사용하여 모든 종류의 데이터를 나타낸다. 이러한 방식은 현대 전자 기기 대부분의 기반 기술이며, 복잡한 계산, 데이터 저장 및 전송을 효율적으로 수행할 수 있는 근본적인 이유가 된다.

디지털 시스템의 주요 이점 중 하나는 정보를 정확하게 저장하고, 복제하는 능력과 높은 잡음 내성을 포함한다. 이로 인해 데이터의 정확도와 신뢰성이 크게 향상된다. 또한, 프로그래밍과 소프트웨어를 활용하여 다양한 기능을 손쉽게 추가할 수 있다는 점도 디지털 기술의 큰 장점이다. 하지만, 아날로그 신호를 디지털로 변환하는 과정에서는 정보의 일부가 손실될 수 있다는 단점도 있다.

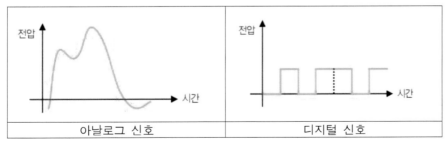

[그림] 아날로그 신호와 디지털 신호

아두이노에서 디지털 신호를 입력(예 : 버튼을 눌렀을 때 1이란 신호를 입력, 누르지 않았을 때 0이란 신호를 입력)하거나 출력(예 : LED에 1이란 신호를 내보내면 켜짐, 0이란 신호를 보냈을 때 꺼짐)하려면 디지털 I/O 핀(0~13번)을 이용한다[1].

[그림] 아두이노의 디지털 I/O 핀

1.1.2 디지털 시스템과 2진 체계

디지털 시스템에서 정보는 2진 체계를 활용하여 전기적 신호로 표현된다. 기본적으로, 이 시스템은 스위치의 ′On′과 ′Off′ 상태를 이용해 데이터를 나타내며, ′On′은 대개 1로, ′Off′는 0으로 표현된다. 이러한 방식으로, 정보는 두 가지 상태만을 사용하여 표현되며, 이를 2진 디지털 신호라고 부

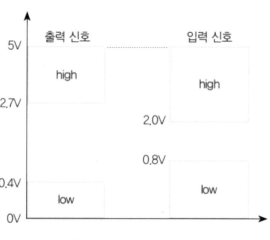

[그림] 디지털 시스템의 전압 레벨

른다. 이는 참(true) 또는 거짓(false)과 같은 논리적 개념과 밀접하게 연결된다.

---

1) 아두이노의 디지털 I/O핀은 0~13번이지만, 0번과 1번 핀은 특별한 기능을 갖고 있기 때문에 일반적인 목적으로 사용하지 않는다. 즉, 0번 핀(D0)과 1번 핀(D1)은 각각 RX와 TX 핀으로서, 아두이노의 UART(Universal Asynchronous Receiver-Transmitter) 통신에 사용된다. 이들 핀은 아두이노와 컴퓨터나 다른 시리얼 장치 간의 시리얼 통신을 담당하기 때문에 사용하지 않는 것이 좋다.

디지털 시스템 내에서는 2진 디지털 정보를 나타내기 위해 전압 수준이 사용된다. 일반적으로, 출력 신호의 경우 전압이 2.7V에서 5V 사이일 때, 이는 'high' 상태로 간주되고, 0V에서 0.4V 사이일 때는 'low' 상태로 간주된다.

입력 신호의 경우도 유사한 원칙이 적용되나, 입력 시 신호의 허용 전압 범위는 일반적으로 출력 신호의 범위보다 약간 넓게 설정된다. 이러한 설정은 디지털 시스템이 잡음과 같은 외부 요인을 효율적으로 처리하도록 함으로써, 신호의 안정성을 보장하고 데이터 전송 오류를 최소화하는 데 중요하다. 이런 특성은 디지털 시스템의 신뢰성과 효율성을 높이는 데 기여한다.

디지털 시스템에서는 전압 수준을 사용하여 2진 디지털 정보를 나타낸다. 예를 들어, 출력 신호의 전압이 2.7V에서 5V 사이일 경우, 이를 'high' 상태로 간주하고 2진수로는 1로 표현된다. 반면에 출력 신호의 전압이 0V에서 0.4V 사이일 경우, 'low' 상태로 간주하며, 2진수로는 0으로 표현된다.

1.2. '디지털' 관련 실습

1.2.1 회로 구성

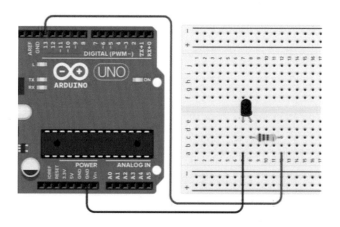

1.2.2 소스 코드 및 실행 결과

1.2.2.1 예제	
01	`void setup() {`
02	`  pinMode(13, OUTPUT);`
03	`  digitalWrite(13, HIGH); // 이후 이 부분의 HIGH를 LOW로 수정해 본다.`
04	`}`
05	`void loop() {`
06	`}`

이 소스 코드는 아두이노의 13번 핀 및 내장 LED에 5V 전압을 공급한 후, 그 상태를 유지하는 예제이다.

- 01줄 : void setup() 함수는 아두이노 보드가 시작할 때 한 번만 실행된다. 이 함수는 보드의 초기 설정을 정의하는 데 사용된다.

- 02줄 : 13번 핀(대부분의 아두이노에서 내장 LED와 연결된 핀)을 출력 모드로 설정한다. 이렇게 설정하면 해당 핀을 통해 내장 LED 또는 13번 핀에 연결된 LED를 제어할 수 있게 된다.

- 03줄 : 13번 핀에 HIGH 전압(5V)을 출력한다. 이 코드를 실행하면 아두이노 내부 LED 및 13번 핀에 연결된 외부 LED가 켜진다.
- 05줄 : void loop() 함수는 아두이노가 켜져 있는 동안 계속해서 반복 실행된다. 이 함수 내의 코드는 무한히 반복되어 실행된다.

이 소스 코드의 실행 결과는 LED의 불이 켜진 상태로 유지된다.

1.2.3 아두이노 함수

🌀 pinMode() 함수

pinMode() 함수는 아두이노에서 디지털 핀의 모드를 설정하는 데 사용된다. 이 함수는 핀이 입력(INPUT)으로 사용될 것인지, 아니면 출력(OUTPUT)으로 사용될 것인지를 아두이노에 알려준다. 각 핀은 입력 또는 출력 중 하나의 모드로 설정되어야 하며, 이 설정은 핀의 기능을 결정한다.

pinMode() 함수의 기본 구조는 다음과 같다.

```
pinMode(pin, mode);
```

- pin : 모드를 설정할 핀의 번호이다. 아두이노 보드에는 여러 개의 디지털 핀이 있으며, 이들 각각은 고유한 번호를 가진다.
- mode : 해당 핀의 모드를 설정한다. 주로 INPUT, OUTPUT, INPUT_PULLUP 중 하나를 사용한다.
- INPUT : 핀을 입력 모드로 설정한다. 이 모드는 센서나 버튼과 같은 외부 장치로부터 데이터를 받을 때 사용된다.
- OUTPUT : 핀을 출력 모드로 설정한다. 이 모드는 LED 또는 다른 전자 장치를 제어할 때 사용된다.
- INPUT_PULLUP : 내부 풀업 저항을 활성화한 입력 모드다. 이 모드는 외부 저항 없이 버튼 입력을 처리할 때 유용하다.

예를 들어, 13번 핀을 출력으로 설정하려면 다음과 같이 작성할 수 있다.

```
pinMode(13, OUTPUT);
```

이 경우 13번 핀이 출력 모드로 설정되어 digitalWrite() 함수를 사용하여 LED를 켜고 끌 수 있다.

반대로, 만약 2번 핀을 입력 모드로 설정하고 싶다면 다음과 같이 작성할 수 있다.

```
pinMode(2, INPUT);
```

이 경우 2번 핀은 외부에서 오는 신호를 감지하는 데 사용될 수 있다. 예를 들어, 버튼이나 센서에서 오는 신호를 읽을 때 사용할 수 있다.

⬤ digitalWrite() 함수

digitalWrite() 함수는 아두이노의 특정 디지털 핀에 높은(HIGH) 또는 낮은(LOW) 전압을 보내는 데 사용된다. 주로 LED를 켜고 끄거나, 전자 회로를 제어하는 데 사용된다.

digitalWrite() 함수의 기본 구조는 다음과 같다.

```
digitalWrite(pin, value);
```

- pin : 디지털 신호를 보낼 핀의 번호이다. 아두이노 보드에는 여러 개의 디지털 핀이 있으며, 이들 각각은 고유한 번호를 가진다.
- value : 핀에 보낼 값이다. HIGH 또는 LOW 중 하나를 사용할 수 있다. HIGH는 핀에 전압을 공급함을 의미하며, 보통 5V이다. LOW는 핀에서 전압을 제거함을 의미하며, 0V이다.

예를 들어, 13번 핀에 연결된 LED를 켜려면 다음과 같이 작성한다.

```
digitalWrite(13, HIGH);
```

이렇게 하면 13번 핀에 5V의 전압이 공급되어 LED가 켜진다.

반대로 LED를 끄려면 다음과 같이 작성한다.

```
digitalWrite(13, LOW);
```

이 경우 13번 핀에서 전압이 제거되어 LED가 꺼진다.

digitalWrite() 함수를 사용하기 전에 반드시 pinMode() 함수를 사용하여 해당 핀을 출력(OUTPUT) 모드로 설정해야 한다. 이렇게 하면 아두이노가 해당 핀을 출력 핀으로 인식하고 digitalWrite() 함수를 올바르게 실행할 수 있다.

[참고] 함수

함수는 일련의 코드를 그룹화하고 이름을 지정하여 재사용하기 쉽게 만든 코드 블록을 말한다. 함수를 한 번 정의하면, 프로그램의 어디에서든지 해당 함수를 호출하여 사용할 수 있다. 또한, 큰 프로그램을 작은 단위로 나눌 수 있어 코드의 가독성과 관리성이 향상된다.

함수를 사용하지 않은 경우	함수를 사용한 경우
1.2.3.1 예제	**1.2.3.2 예제**
| ```c++
void setup() {
  Serial.begin(9600);
  int a, b, c;

  a = 1; b = 2;
  c = a + b;
  Serial.println(c);

  a = 3; b = 4;
  c = a + b;
  Serial.println(c);

  a = 5; b = 6;
  c = a + b;
  Serial.println(c);

}

void loop() {
}
``` | ```c++
int add(int x, int y);

void setup() {
  Serial.begin(9600);
  add(1, 2);
  add(3, 4);
  add(5, 6);
}

void loop() {
}

int add(int x, int y) {
  int z = x + y;
  Serial.println(z);
  return z;
}
``` |

함수에는 사용자가 특정 목적에 맞게 만든 사용자 정의 함수와 아두이노에서 기본적으로 제공하는 라이브러리 함수 등 두 가지 유형의 함수가 있다.

1.2.4 디지털 논리회로 보드 I 이용 실습

디지털 논리회로 보드 I에는 아두이노의 디지털 핀 6번에 LED가 연결되어 있다. 앞의 소스 코드를 수정하여 디지털 6번 핀에 연결된 LED에 디지털 신호를 전송해 보자.

1.3. 참고 자료

1.3.1 아두이노

🌐 아두이노란?

아두이노는 오픈 소스 기반의 단일 보드 마이크로컨트롤러로, 다양한 분야의 사용자들에게 학습, 프로토타이핑, 예술 프로젝트, DIY 프로젝트 등 다양한 용도로 활용된다. 전 세계적으로 널리 사용되는 이 보드는 학생, 공학자, 예술가 등 광범위한 대상이 이용한다.

아두이노라는 용어는 원래 이탈리아어로 '좋은 친구들'을 의미하지만, 일상적으로는 하드웨어와 소프트웨어를 아우르는 개념으로 사용된다. 이 교재에서도 하드웨어와 소프트웨어 개념을 혼용하여 사용하지만, 그 원래 의미는 약간의 차이가 있다.

🌐 하드웨어로의 아두이노

아두이노 하드웨어는 주로 Atmel의 AVR 마이크로컨트롤러 시리즈를 중심으로 구성된 다양한 보드들을 의미한다. 이러한 아두이노 보드들은 디지털 및 아날로그 핀, 통신 인터페이스, 전원 커넥터 등을 포함하여 다양한 기능을 지원한다.

아두이노 보드의 종류는 매우 다양하며, 우노(Uno), 메가(Mega), 나노(Nano), 미니(Mini) 등 여러 버전으로 제공된다. 각 버전은 특정한 용도나 프로젝트의 요구사항에 맞게 최적화되어 설계되었다. 예를 들어, 우노는 아두이노 프로그래밍을 처음 시작하는 사용자에게 이상적인 보드일 수 있으며, 메가는 더 많은 I/O 핀과 메모리를 필요로 하는 복잡한 프로젝트에 적합하다. 나노와 미니는 작은 크기와 낮은 전력 소비가 필요한 프로젝트에 이상적이다.

아두이노 우노 R3

아두이노 우노 R4

아두이노 우노 복제품(DIP 타입)

아두이노 우노 복제품(SMD 타입)

아두이노 우노 복제품(keyestudio)

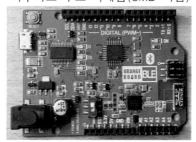
아두이노 우노 복제품(오렌지 보드)

아두이노 메가 ADK

아두이노 나노

[그림] 아두이노의 종류

⊛ 아두이노의 구조

아두이노 우노(Arduino Uno)는 아두이노 시리즈 중에서 가장 널리 알려진 보드이다. 아두이노 우노 R3를 기반으로 기본 구조를 살펴보자.

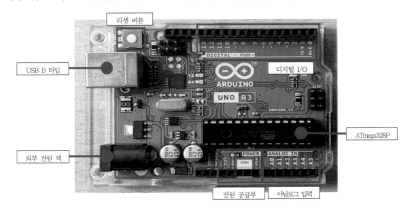

- 크기 : 아두이노 우노는 약 68.6mm × 53.4mm의 크기이다.
- 마이크로컨트롤러 : ATmega328P[2]를 기반으로 한다.
- 전원 : USB 연결을 통해 5V를 전원을 공급받거나, 외부 전원 잭을 통해 7-12V의 전원을 공급받을 수 있다.
- 디지털 I/O(Input/Output) 핀 : 총 14개의 디지털 입출력 핀이 있으며, 이 중 6개는 PWM 출력으로 사용될 수 있다.
- 아날로그 입력 핀 : 총 6개의 아날로그 입력 핀이 있다.
- 컴퓨터와 연결 : 아두이노 우노 R3은 USB B 타입 커넥터를 통해 컴퓨터에 연결하는데[3], 이를 통해 아두이노 IDE를 사용하여 프로그래밍한 내용을 업로드할 수 있다.

---

2) ATmega328P는 Atmel사(현재 Microchip Technology 소속)에서 제작한 8비트 마이크로컨트롤러이다. 이 칩은 32KB의 플래시 메모리, 2KB의 SRAM, 1KB의 EEPROM을 가지고 있으며, 아두이노 Uno 보드의 주요 구성 요소로 널리 사용된다.
3) 참고로 아두이노 우노 R4는 USB C 타입 커텍터를 사용한다.

[참고] 마이크로컨트롤러

마이크로컨트롤러는 중앙 처리 장치(CPU), 메모리, 입출력(I/O) 포트를 단일 칩에 통합한 소형 컴퓨터이다. 이 통합된 구조는 공간과 비용을 절약할 뿐만 아니라 저전력 운영이 가능하게 하는 주요 이점을 제공한다.

다양한 전자 장치나 기계의 단일 기능 제어에 주로 사용되는 마이크로컨트롤러는 가정용 기기, 의료 장비, 산업 자동화 시스템, 차량 내부 시스템 등 매우 다양한 분야에 적용될 수 있다. 또한, 환경 변화를 감지하는 센서와 연결되어 기기를 적절하게 제어하는 역할도 수행한다.

마이크로컨트롤러 내부의 CPU는 명령어 처리를 담당하며, 내장 메모리는 프로그램 코드나 데이터 저장에 사용된다. 입출력 포트를 통해서는 외부 센서나 다른 장치와의 데이터 소통이 이루어진다. 이 모든 구성 요소가 한 칩에 집적되어 있기 때문에, 복잡한 외부 회로 없이도 다양한 기능을 수행할 수 있다.

저전력 운영, 소형화, 비용 효율성은 마이크로컨트롤러를 다양한 응용 분야에 적합하게 만드는 핵심 요소들이다. 특히, 이러한 특성은 배터리로 구동되는 휴대용 장치나 공간 제한이 있는 응용 분야에서 매우 유용하다.

프로그래밍이 가능한 특성 덕분에 사용자는 마이크로컨트롤러를 특정 작업을 수행하도록 맞춤 설정할 수 있어, 다양한 환경과 요구 사항에 맞게 장치를 조정할 수 있다.

🌐 소프트웨어로의 아두이노

아두이노 소프트웨어는 아두이노 IDE(통합 개발 환경)를 지칭한다. IDE는 사용자가 아두이노 하드웨어를 쉽게 프로그래밍할 수 있도록 도와주는 소프트웨어이다. 이를 통해 사용자는 아두이노 코드를 작성, 편집, 컴파일, 그리고 아두이노 보드에 직접 업로드할 수 있다. 아두이노 IDE는 사용자 친화적인 인터페이스를 제공함으로써, 프로그래밍에 익숙하지 않은 사람들도 손쉽게 접근하고 사용할 수 있도록 설계되었다.

아두이노는 다양한 외부 하드웨어, 예를 들어 센서, 모터, 디스플레이 등을 쉽게 연결하고 제어할 수 있도록 지원하는 풍부한 라이브러리들을 제공한다. 이 라이브러리들은 사용자가 복잡한 하드웨어를 더 간단하게 프로그래밍할 수 있게 도와준다.

아두이노에서 사용되는 프로그래밍 언어는 C/C++을 기반으로 하지만, 아두이노 고유의 구조와 함수들을 포함하여 사용자가 보다 쉽게 접근하고 사용할 수 있도록 확장되었다. 이러한 특성으로 아두이노는 프로그래밍과 하드웨어에 대한 전문 지식이 상대적으로 적은 사람들도 창의적인 프로젝트를 실현할 수 있는 도구로 자리잡았다.

아두이노 IDE에서 개발자가 작성하는 개별 프로그램이나 코드를 '스케치'라고 칭한다. 이는 다른 프로그래밍 언어에서 찾아볼 수 있는 '프로그램' 또는 '스크립트'와 유사한 개념으로, '.ino' 확장자를 가진 파일 형태로 저장된다. 스케치는 주로 아두이노의 동작을 지시하는 코드를 담고 있어, 아두이노 하드웨어의 다양한 기능을 구현하는 데 사용된다.

[그림] 아두이노 IDE

1.3.2 회로

🔧 회로란?

회로란 전기나 전자적 신호가 흐르기 위한 경로를 의미한다. 전기회로는 전압, 전류 및 저항과 같은 전기적 요소들로 구성되며, 전자회로는 전기 신호의 특성을 변화시키거나 처리하기 위해 사용된다.

회로는 여러 전기 및 전자 부품으로 이루어져 있다. 이러한 구성 요소는 다양한 기능과 특성을 가지며, 그들 사이의 연결 방식에 따라 회로의 전반적인 작동 방식과 특성이 결정된다.

기본적으로 회로는 건전지와 같이 전기를 공급하는 전원, 전기가 흐르는 전선, LED나 모터와 같이 전기를 사용하면서 필요한 일을 하는 부하 등으로 구성된다.

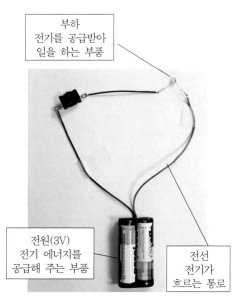

부하
전기를 공급받아
일을 하는 부품

전원(3V)
전기 에너지를
공급해 주는 부품

전선
전기가
흐르는 통로

[그림] 회로 구성 요소

옴의 법칙

전기회로에는 눈에 보이지는 않는 몇 가지 법칙이 숨겨져 있다. 먼저, LED가 켜졌다는 것은 전선을 통해 자유 전자 이동하면서 전기 에너지에서 빛 에너지로 변환시켰음을 의미한다. 이와 같은 전자의 흐름을 전류라 한다. 이러한 전류는 전원으로 사용한 건전지에 의해 발생한다. 건전지에는 일정한 양의 전기 에너지를 저장하여 전류를 발생시킬 수 있으며, 이러한 양을 전기적인 압력인 전압으로 표현한다. 마지막으로 전류의 흐름을 방해하는 성질이 있는데 이를 저항이라 한다. 전류, 전압, 저항 사이에는 다음과 같은 식이 성립함을 확인하였고 이를 옴의 법칙이라 한다.

$$전류(I) = \frac{전압(V)}{저항(R)}$$

옴의 법칙은 적절한 전자 부품을 선택할 때 활용된다. 예를 들어, 아두이노에서 LED를 연결할 때 적절한 저항이 필요한데, 이를 계산할 때 활용된다.

만약 어떤 회로 구성에서 LED에 큰 전류가 흐르면 LED가 손상될 수 있다. 따라서, LED에 적절한 전류가 흐르도록 조절하기 위해서는 LED의 앞이나 뒤에 저항을 연결해야 하는데, 이러한 연결은 LED 외 다른 전자 부품에서도 동일하게 적용된다. LED에 흐르는 적절한 전류 양을 알기 위해서는 해당 부품의 데이터시트를 참조해야 한다. 예를 들어, 5mm LED의 데이터시트에는 대략 15 mA의 전류가 필요하고, 강하전압[4]은 2V라고 제시되어 있다.

이들 정보를 이용하여 옴의 법칙에 따라 LED에 필요한 전압과 전류가 주어졌을 때, 필요한 저항 값을 계산할 수 있다. 즉, 아두이노의 전압이 5V이고 LED에 필요한 강하전압이 2V, 필요 전류가 15mA일 경우, 저항값은 다음과 같이 계산된다.

$$\frac{5\,V - 2\,V}{0.015\,A} = 200\,\Omega$$

이는 아두이노 보드에서 안전하게 LED를 사용하기 위해 필요한 저항 값으로, 가급적으로 220Ω과 같이 보다 큰 값을 사용하는 것이 바람직하다.

1.3.3 틴커캐드

● 틴커캐드란?

틴커캐드는 다양한 사용자를 대상으로 하는 온라인 기반의 3D 설계, 전자 시뮬레이션 프로그램이다. 오토데스크사에서 만들었으며, 사용자는 웹 브라우저만 있으면 어디서나 접속하여 사용할 수 있다. 아두이노와 관련된 틴커캐드의 주요 기능은 다음과 같다.

---

4) 강하전압란 전자부품을 통해 전류가 흐를 때 그 부품에 의해 전압이 감소하는 현상을 말한다. 예를 들어, 아두이노 보드의 5V 전원핀에 강하전압이 2V인 LED를 연결하면, 전류가 LED를 지나면서 전압이 2V만큼 떨어져 최종적으로 3V가 된다.

- 회로 설계 : 틴커캐드에서는 드래그 앤 드롭 방식으로 다양한 전자 부품(예 : 저항, LED, 서보 모터, 센서 등)을 작업창에 배치하고, 가상의 와이어로 연결하여 전자 회로를 설계할 수 있다.

- 시뮬레이션 환경 제공 : 사용자는 가상의 아두이노에 코드를 업로드하고, 실제 하드웨어 없이도 그 코드의 동작을 시뮬레이션하여 확인할 수 있다. 이는 아두이노 초보자들에게 특히 유용한 기능으로, 실제 하드웨어를 구입하기 전에 코드와 회로를 테스트해 볼 수 있다.

- 코드 편집 및 작성 : 틴커캐드는 내장된 코드 에디터를 제공하며, 여기서 아두이노의 C/C++ 기반 코드를 직접 작성하거나 수정할 수 있다. 또한, 블록 기반 프로그래밍 방식도 지원하기 때문에 프로그래밍을 처음 접하는 사용자들도 쉽게 코드를 작성할 수 있다.

🌀 틴커캐드 '회로' 프로그램의 화면 구성

틴커캐드 '회로' 프로그램의 주요 화면 구성은 다음과 같다.

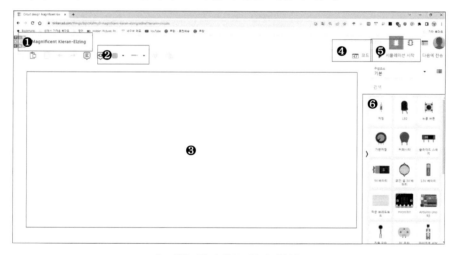

[그림] 틴커캐드 화면 구성

❶ 이름 변경 : 사용자가 자신의 프로젝트나 작업물에 이름을 부여할 때 사용한다.

❷ 연결선 : 부품들 간의 연결을 나타내는 선이다. 다양한 색상을 사용하여 연결의 종류나 목적을 구분할 수 있다.

❸ 작업창 : 여기에서 부품을 배치하고 선을 연결하여 회로를 구성한다.

❹ 코드 : 아두이노를 작동시키는 소스 코드를 작성하거나 수정할 수 있는 영역
이다.

❺ 시뮬레이션 : 설계한 회로의 시뮬레이션을 시작하거나 중지하는 버튼이다.

❻ 부품 라이브러리 : 다양한 전자 부품, 센서, IC, 아두이노 등을 찾고 작업창에
드래그 앤 드롭 할 수 있다.

1.3.4 회로 구성 전자 부품

❖ LED

△ 틴커캐드   △ 실물

LED는 Light Emitting Diode의 약자로, 반도체 소자를 통한 빛 발생 부품이다.
아두이노에서는 가장 기본적이면서도 널리 사용되는 활용된다.

- 극성 : LED에는 양극과 음극이 있다. 양극은 긴 핀이며, 음극은 짧은 핀이다.
  LED는 전류가 양극에서 음극으로 흐를 때만 빛을 낸다. 따라서 LED를 연결할
  때에는 극성에 유의해야 한다.

- 전류 제한 : LED는 작은 전류에서도 빛을 발산할 수 있으므로, 과도한 전류가
  LED를 통과하지 않도록 저항을 사용해야 한다.

🏵 저항

△ 틴커캐드   △ 실물

저항은 전기 회로에서 전류의 흐름을 제한하거나 제어하는 데 사용되는 기본적인 부품이다. 아두이노에서는 다음의 목적으로 저항을 사용한다.

- 전류 제한 : 가장 일반적인 예는 LED를 사용하는 경우이다. LED는 정해진 전압 이상에서 작동하며, 너무 많은 전류가 흐르면 손상될 수 있다. 저항을 LED와 직렬 연결하여 적정 수준의 전류를 유지할 수 있다.

- 풀업 및 풀다운 저항 : 디지털 입력에서, 스위치를 사용할 때 '플로팅' 상태를 방지하기 위해 풀업 또는 풀다운 저항이 사용된다. 이러한 저항은 일반적으로 아두이노의 입력 핀과 VCC 또는 GND 사이에 연결된다. 풀업 및 풀다운 저항에 대해서는 이후의 장에서 좀 더 구체적으로 살펴본다.

[참고] 고정 저항기의 색띠와 저항값

고정 저항기에서 저항값을 숫자로 표시하는 데는 한계가 있어 색 띠로 저항값을 표시한다. 저항기의 둥근 표면에 4개 또는 5개의 색 띠가 표시되어 있으며 띠의 색깔은 숫자를 의미한다.

색상	숫자	승수
검정	0	10^0
갈색	1	10^1
빨강	2	10^2
주황	3	10^3
노랑	4	10^4
초록	5	10^5
파랑	6	10^6
보라	7	10^7
회색	8	10^8
흰색	9	10^9

4색 띠 저항의 경우 첫 번째와 두 번째 색 띠는 첫 번째 숫자와 두 번째 숫자를 나타낸다. 세 번째 색 띠는 앞의 숫자에 곱해지는 승수를 나타내고, 네 번째 색 띠는 허용 오차를 나타낸다.

※ 허용 오차 : 갈색 ±1%, 적색 ±2%, 금색 ±5%, 은색 ±10%

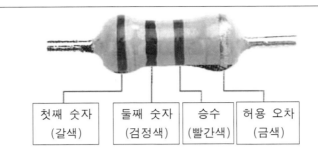

첫째 숫자 (갈색)	둘째 숫자 (검정색)	승수 (빨간색)	허용 오차 (금색)

- 4색 띠의 저항값 계산 예시

  = [첫째 숫자] [둘째 숫자] × [승수]Ω±허용 오차%

  = 10 × 102Ω ± 5%

  = 1000Ω ± 5%

  = 1kΩ ± 5%

- 5색 띠의 저항값 계산 예시

첫째 숫자 (갈색)	둘째 숫자 (검정색)	셋째 숫자 (검정색)	승수 (갈색)	허용 오차 (갈색)

* 5색 띠의 저항값 계산 예시

= [첫째 숫자][둘째 숫자][둘째 숫자] × [승수]Ω±허용 오차%

= 100×101Ω±1%

= 1kΩ±1%

⚙ 브레드보드

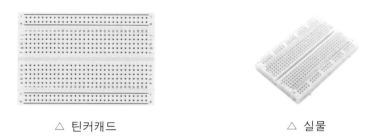

△ 틴커캐드   △ 실물

브레드보드는 전기, 전자 회로 실험할 때 일시적으로 전자 부품을 연결하는 데 사용된다. 브레드보드는 전자 부품을 연결할 때 납땜을 하지 않아도 되며, 전선을 자르지 않아도 된다. 이에 전자 부품의 연결이나 분해가 쉬워져 보다 편리하게 회로를 구성하고 테스트할 수 있다.

브레드보드에는 전자 부품을 꽂기 위한 수많은 핀이 배열되어 있는데, 이 핀들은 전자 부품을 꽂기 위한 구멍으로 사용된다. 이 구멍 사이의 거리는 일정하게 유지되며 이렇게 구멍 사이의 일정한 거리는 다양한 크기와 모양의 전자 부품을 쉽게 연결할 수 있도록 구성되어 있다.

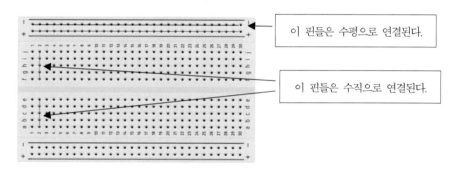

[그림] 브레드보드의 구조

✦ 와이어

△ 틴커캐드   △ 실물

와이어 주로 회로를 구성하거나 구성 요소를 아두이노에 연결하는 데 사용된다. 틴커캐드에서는 원하는 구성 요소의 핀을 클릭하면 와이어가 자동으로 생성되며, 해당 와이어의 다른 끝을 원하는 대상 위치에 연결할 수 있다. 또한, 와이어의 색 상을 변경하여 다양한 연결을 쉽게 식별할 수 있다. 일반적으로 빨간색은 양의 전 원(+)에 검은색은 접지(-)에 사용되며, 데이터 연결에는 다른 색상들이 사용될 수 있다.

와이어를 연결한 후에는 그 경로나 형태를 드래그하여 조정할 수 있다. 이는 회 로를 깔끔하게 정리하거나 다른 구성 요소와의 충돌을 피할 때 유용하다. 잘못 연 결된 와이어는 선택한 후 삭제 버튼을 사용하여 제거할 수 있다.

제2장 아날로그

2.1. 개요

2.1.1 아날로그 신호

 아날로그 신호는 연속적인 값들로 정보를 나타내며, 자연 세계의 연속적인 변화를 직접적으로 반영한다. 이는 아날로그 시계의 바늘이나 스피커 볼륨 다이얼에서 볼 수 있는 방식으로, 온도, 습도, 소리, 광도와 같은 현상을 연속적인 범위 내에서 표현한다. 이를 통해 아날로그 신호는 매우 섬세하고 부드러운 데이터 표현이 가능하다.

 아두이노에서 아날로그 정보를 처리하기 위해서는 아날로그 입력 핀 (ANALOG IN)에 해당하는 센서를 연결해야 한다. 이를 통해 아두이노는 주변 환경의 변화를 감지하고, 이

[그림] 아두이노의 아날로그 입력 핀

러한 아날로그 신호를 디지털 값으로 변환하여 처리할 수 있다. 예를 들어, 온도 센서를 통해 주변 온도를 연속적인 신호로 받아들여, 이를 아두이노가 이해할 수 있는 디지털 신호로 변환하는 과정이 이에 해당한다. 이러한 변환 과정을 통해 아두이노는 아날로그 세계의 정보를 읽고 반응할 수 있다.

2.1.2 PWM

PWM(Pulse Width Modulation, 펄스 폭 변조)은 아날로그 결과를 생성하기 위해 디지털 신호를 활용하는 기법 중 하나로, 사각파의 형태를 가진 펄스에서 'high' 상태의 지속 시간, 즉 펄스의 폭(너비)을 조절함으로써 다양한 출력 값을 구현한다. 이 방식은 디지털 출력만 가능한 시스템에서도 연속적인 아날로그 범위의 출력을 모사할 수 있게 해준다. PWM의 핵심 원리와 적용 사례 다음과 같다.

● 듀티 사이클(Duty Cycle)

PWM에서 가장 중요한 개념이다. 듀티 사이클은 하나의 주기 내에서 펄스가 'high' 상태로 있던 시간의 비율을 의미한다. 예를 들어, 듀티 사이클이 50%인 PWM 신호는 한 주기의 절반은 'high' 상태이고 나머지 절반은 'low' 상태이다.

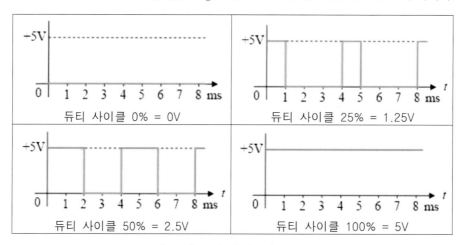

[그림] 듀티 사이클과 전압

● 적용 사례

아두이노에서는 PWM 출력을 지원하는 특정 핀을 통해 디지털 출력을 아날로그와 유사한 출력으로 전환할 수 있다.

- LED 밝기 조절 : PWM을 사용하여 LED의 밝기를 조절할 수 있다. 높은 듀티 사이클은 밝은 빛, 낮은 듀티 사이클은 어두운 빛을 만들어 낼 수 있다.
- 모터 제어 : PWM은 모터의 속도를 조절하는 데 사용된다. 높은 듀티 사이클은 높은 속도, 낮은 듀티 사이클은 낮은 속도로 모터를 제어한다.

아두이노 우노에서 PWM 기능을 지원하는 디지털 핀은 3, 5, 6, 9, 10, 11핀이다. 이러한 핀들은 '~' 기호로 표시되어 있어, 이들이 PWM이 가능한 핀임을 쉽게 구분할 수 있다.

[그림] 아두이노의 디지털 핀 중 PWM 기능을 지원하는 핀(3, 5, 6, 9, 10, 11)

2.2. '아날로그' 관련 실습

2.2.1 회로 구성

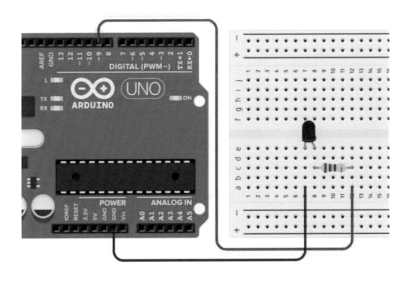

2.2.2 소스 코드 및 실행 결과

2.2.2.1 예제

```
01  void setup() {
02    analogWrite(9, 0);
03    // analogWrite(9, 127);
04    // analogWrite(9, 255);
05  }
06  void loop() {
07  }
```

이 소스 코드는 아두이노에서 아날로그 신호를 사용하여 9번 핀의 출력을 조절하는 예제이다.

- 02줄 : 9번 핀에 아날로그 값 0을 출력한다. 아날로그 값 0은 PWM 신호에서 0% 듀티 사이클을 의미하며, 이는 핀에서 LOW(꺼진) 상태를 의미한다.
- 03-04줄 : 주석 처리된 analogWrite(9, 127);와 analogWrite(9, 255);는 예제로 제시되었으나, 현재 코드에서는 활성화되지 않는다. analogWrite(9, 127);는 PWM 신호에서 약 50% 듀티 사이클을 의미하며, analogWrite(9, 255);는 100% 듀티 사이클을 의미한다. 듀티 사이클이 높을수록 핀에서 출력되는 전압이 높아진다.

이 소스 코드를 실행시키면 LED의 불이 꺼진 상태로 유지된다. 03줄의 주석 부분을 제거하면 2.5V의 전압이 공급되었을 때 LED의 밝기를, 04줄의 주석 부분을 제거하면 5V의 전압이 공급되었을 때 LED의 밝기를 확인할 수 있다.

2.2.3 아두이노 함수

⚙ analogWrite() 함수

analogWrite() 함수는 아두이노에서 아날로그 신호를 생성하는 데 사용되는 함수이다. 이 함수는 특정 디지털 핀에서 PWM(Pulse Width Modulation, 펄스 폭 변조) 신호를 생성하여 아날로그와 유사한 효과를 낼 수 있다. PWM 신호는 LED의 밝기를 조절하거나 모터의 속도를 제어하는 데 자주 사용된다.

analogWrite() 함수의 기본 구조는 다음과 같다.

```
analogWrite(pin, value);
```

- pin : PWM 신호를 보낼 핀의 번호이다. 모든 핀이 PWM을 지원하는 것은 아니므로, 아두이노 보드의 PWM이 가능한 핀을 확인해야 한다.
- value : PWM 신호의 듀티 사이클을 결정하는 값으로, 0에서 255 사이의 값이다. 이 값은 신호의 "켜짐" 상태를 얼마나 오래 유지할 것인지를 결정한다.
  - ✓ 0은 항상 꺼진 상태를 의미한다(0% 듀티 사이클).
  - ✓ 255는 항상 켜진 상태를 의미한다(100% 듀티 사이클).
  - ✓ 중간 값들은 켜짐과 꺼짐의 비율을 나타낸다. 예를 들어, 127은 약 50%의 듀티 사이클을 가지며, 이는 LED의 밝기를 절반으로 줄이는 효과가 있다.

예를 들어, 9번 핀에 연결된 LED의 밝기를 줄이려면 다음과 같이 작성할 수 있다.

```
analogWrite(9, 127);
```

이 코드는 9번 핀에서 PWM 신호를 생성하여 LED의 밝기를 약 50%로 조절한다.

analogWrite() 함수를 사용할 때는 해당 핀이 PWM을 지원하는지 확인하는 것이 중요하다. 모든 디지털 핀이 PWM을 지원하지는 않으므로, PWM 가능 핀(~ 표시가 있는 핀)을 확인한다.

2.2.4 디지털 논리회로 보드 I 이용 실습

 디지털 논리회로 보드 I에는 아두이노의 디지털 핀 6번에 LED가 연결되어 있다. 디지털 핀 6번은 PWM 제어가 가능한 핀이다. 앞의 소스 코드를 적절히 수정하여 디지털 6번 핀에 연결된 LED에 아날로그 신호(PWM 기능 이용)를 전송해 보자.

제3장 수의 체계

3.1. 개요

3.1.1 진수

⬡ 10진수(Decimal)

 10진수는 우리가 일상생활에서 가장 많이 사용하는 숫자 체계이다. 0부터 9까지의 숫자를 사용하여 모든 값을 표현한다. 예를 들어, 10진수 123은 백이십삼을 나타낸다.

⬡ 2진수(Binary)

 2진수는 컴퓨터 및 디지털 시스템에서 기본적으로 사용되는 숫자 체계이다. 오직 0과 1, 두 가지 숫자만을 사용한다. 각 숫자는 비트(bit)라고 하며, 컴퓨터는 이 2진수를 사용하여 모든 데이터를 저장하고 연산을 수행한다. 예를 들어, 2진수 1101은 10진수로 13을 의미한다.

⬡ 8진수(Octal)

 8진수는 주로 컴퓨터에서 사용되는 숫자 체계로, 0부터 7까지의 숫자를 사용한다. 각 8진수의 자리는 3개의 비트로 표현될 수 있다. 예를 들어, 8진수 17은 2진수 001 111을 의미하며, 이는 10진수로 15이다.

⊛ 16진수(Hexadecimal)

16진수 역시 컴퓨터에서 널리 사용되는 체계이다. 0부터 9까지의 숫자와 A부터 F까지의 글자를 사용하여 16개의 값 각각을 나타낸다. 이 체계는 특히 메모리 주소와 같은 컴퓨터의 낮은 수준(low-level) 데이터를 간결하게 표현하는 데 유용하다. 예를 들어, 16진수 1A는 10진수로 26이다.

3.1.2 진법의 변환

⊛ 10진수에서 2진수로 변환하기(정수)

- 10진수 값을 2로 나눈다.
- 나눗셈의 결과에서 나머지를 기록한다. (이것이 최하위 비트가 된다.)
- 몫이 0이 될 때까지 이 과정을 반복한다.
- 마지막으로 얻은 나머지부터 처음 얻은 나머지까지 역순으로 읽은 값이 2진수이다.

예를 들어, 10진수 13을 2진수로 변환하려면

13 ÷ 2 = 6 … 나머지 1

6 ÷ 2 = 3 … 나머지 0

3 ÷ 2 = 1 … 나머지 1

1 ÷ 2 = 0 … 나머지 1

따라서, 13의 2진수는 1101이다.

⊛ 2진수에서 10진수로 변환하기(정수)

가장 오른쪽 비트부터 시작하여, 왼쪽으로 갈수록 각 비트의 가중치가 2의 거듭제곱으로 증가한다. 각 비트에 해당하는 2의 거듭제곱 값을 계산하고, 그 비트가 1이면 해당 값을 더한다.

예를 들어, 2진수 1101을 10진수로 변환하려면

- 가장 오른쪽 비트(1)는 $2^0 = 1$
- 그 다음 비트(0)는 $2^1 = 1$(하지만 이 비트는 0이므로 계산에서 제외)
- 그 다음 비트(1)는 $2^2 = 4$
- 가장 왼쪽 비트(1)는 $2^3 = 8$

따라서, 1101의 10진수는 1+0+4+8=13

이러한 방법으로 10진수와 2진수 간 변환을 수행할 수 있다.

⬥ 10진수 소수에서 2진수 소수로 변환하기

- 정수 부분 변환하기 : 정수 부분에 대해서는 앞서 설명한 10진수를 2진수로 변환하는 기본적인 나눗셈 방법을 사용한다.

- 소수 부분 변환하기
✓ 소수 부분을 2로 곱한다.
✓ 결과값의 정수 부분이 2진수의 다음 비트가 된다.
✓ 소수 부분만 다시 2로 곱하는 과정을 반복한다.

이 과정은 원하는 정밀도에 도달하거나 반복 패턴이 나타날 때까지 계속한다.

예를 들어, 10진수 10.625를 2진수로 변환하려면

- 정수 부분인 10은 2진수로 1010
- 소수 부분 .625를 변환
✓ .625 × 2 = 1.25 → 정수 부분 1, 소수 부분 .25
✓ .25 × 2 = 0.5 → 정수 부분 0, 소수 부분 .5
✓ .5 × 2 = 1.0 → 정수 부분 1, 소수 부분 0

결과적으로, 10.625의 2진수는 1010.101이다.

🌑 2진수 소수에서 10진수 소수로 변환하기

• 정수 부분 변환하기 : 위에서 설명한 방법대로 정수 부분을 10진수로 변환한다.

• 소수 부분 변환하기
✓ 소수점 아래 각 비트는 2의 음수 거듭제곱을 나타낸다 (예: 첫 번째 비트는 2^{-1}, 두 번째는 2^{-2} 등).
✓ 해당 비트가 1인 경우, 해당 거듭제곱 값을 더한다.

예를 들어, 2진수 1010.101을 10진수로 변환해 보면,
• 정수 부분인 1010은 10진수로 10
• 소수 부분 .101을 변환
✓ 첫 번째 비트(1)는 2^{-1} = 0.5
✓ 두 번째 비트(0)는 2^{-2} = 0.25 (하지만 이 비트는 0이므로 계산에서 제외)
✓ 세 번째 비트(1)는 2^{-3} = 0.125
✓ 결과적으로, 1010.101의 10진수는 10+0.5+0.125=10.625이다.
이 방법을 통해 10진수와 2진수 소수를 서로 변환할 수 있다.

3.1.3 음수의 표현

컴퓨터에서 음수를 표현하는 방법으로는 주로 부호와 절대치, 1의 보수, 2의 보수 세 가지 방식이 사용된다. 이들은 각각 음수를 다루는 고유한 방법을 제공한다.

🌑 부호와 절대치(Sign and Magnitude)
부호와 절대치 방식에서는 가장 왼쪽 비트를 부호 비트로 사용한다. 이 비트가 0이면 수는 양수이고, 1이면 음수이다. 나머지 비트는 수의 절대값(absolute value)을 나타낸다.

예를 들어, 8비트 체계에서

- +12는 00001100으로 표현된다(0은 양수를 나타내고, 1100은 12의 절대치이다).
- -12는 10001100으로 표현된다(1은 음수를 나타내고, 1100은 12의 절대치이다).

부호와 절대치 방식은 이해하기 쉽지만, 두 가지의 '0'(즉, +0과 -0)을 가질 수 있고, 덧셈과 뺄셈 연산에서 추가적인 논리가 필요하다는 단점이 있다.

⚙ 1의 보수(One's Complement)

1의 보수 방식에서 음수를 표현하기 위해 해당 양수의 모든 비트를 반전시킨다. 즉, 0은 1로, 1은 0으로 변환한다.

예를 들어, 8비트 체계에서

- +12는 00001100으로 표현된다.
- -12는 1의 보수를 취하여 11110011로 표현된다.

1의 보수 방식도 부호와 절대치와 마찬가지로 +0과 -0의 두 가지 '0'을 가지는 단점이 있다. 또한, 덧셈 연산에서 발생할 수 있는 오버플로를 처리해야 한다.

⚙ 2의 보수(Two's Complement)

2의 보수 방식은 현대 컴퓨터 시스템에서 음수를 표현하는 데 가장 널리 사용되는 방식이다. 이 방식에서는 1의 보수를 취하고, 그 결과에 1을 더함으로써 음수를 구한다.

예를 들어, 8비트 체계에서

- +12는 00001100으로 표현된다.
- -12를 구하기 위해 먼저 1의 보수 11110011을 취하고, 여기에 1을 더하면 11110100이 된다.

2의 보수 방식은 +0과 −0을 구분하지 않고 오직 하나의 0만을 가지며, 덧셈과 뺄셈 연산을 단순화한다. 또한, 오버플로 처리도 비교적 간단하다. 양수와 음수 간의 전환도 간단하게 이루어지며, 이는 하드웨어 설계를 단순화하는 데 기여한다.

3.1.4 실수의 표현(부동 소수점)

부동 소수점 표현은 컴퓨터에서 실수를 표현하는 표준 방식이다. 이 방식은 IEEE 754 표준에 의해 규정되며, 실수를 가수(mantissa)와 지수(exponent)로 분리하여 표현한다. 부동 소수점 표현은 매우 넓은 범위의 값을 소수점 위치의 이동을 통해 표현할 수 있기 때문에 '부동 소수점'이라는 이름이 붙었다.

부동 소수점 수는 세 부분으로 구성된다.
- 부호 비트 (Sign bit): 이 비트는 수의 부호를 나타낸다. 0이면 양수, 1이면 음수이다.
- 지수 (Exponent): 지수는 실제 수치 계산에서 소수점의 위치를 결정한다. 지수에는 바이어스(bias)가 적용되어, 음수와 양수를 모두 표현할 수 있다.
- 가수 (Mantissa 또는 Significant): 가수는 수의 실제 유효 숫자들을 담고 있다. 부동 소수점에서는 보통 1.xxxx의 형태로 정규화되어 표현되며, 이때 '1'은 일반적으로 표현되지 않는다(암시된 '1').

🔅 예시 : IEEE 754 표준의 32비트 부동 소수점
- 부호 비트 : 1비트
- 지수 : 8비트
- 가수 : 23비트

S	지수(8비트)							가수(23비트)																							

지수 부분은 127의 바이어스를 가진다. 예를 들어, 지수 값이 10000001(2진수)인 경우, 10진수로 변환하면 129이며, 여기서 127을 빼면 실제 지수 값은 2가 된다. 따라서, 실제 부동 소수점 값은 $1.xxxx \times 2^2$의 형태로 계산된다.

부동 소수점 방식은 과학 및 공학 계산에서 널리 사용되며, 그 정확성과 범위 때문에 복잡한 수치 연산에 적합하다. 그러나 부동 소수점 수는 이진 체계에서 정확히 표현할 수 없는 값들(예: 0.1 등)을 근사하여 표현할 때 정밀도에 한계를 가질 수 있으며, 이는 때로 계산 오류로 이어질 수 있다.

3.2. '진법 변환' 실습

3.2.1 회로 구성

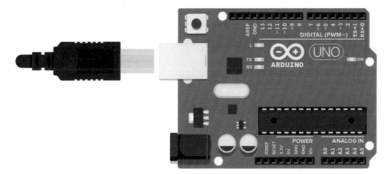

아두이노를 틴커캐드 작업창 중앙에 배치한다.

3.2.2 소스 코드 및 실행 결과

```
01  void setup() {
02      Serial.begin(9600);
03      int x = 10;
04      Serial.println(x); // 10진법
05      Serial.println(x, BIN); // 2진법
06      Serial.println(x, HEX); // 16진법
07      Serial.println(x, OCT); // 8진법
08  }
09
10  void loop() {
11  }
```

이 소스 코드는 변수 x의 값을 다양한 진법으로 시리얼 모니터에 출력하는 방법을 보여주는 예제이다.

- 03줄 : 변수 x를 선언하고, 그 값을 10으로 초기화한다. 여기서 x는 정수형(int) 변수이다.
- 04줄 : 변수 x의 값을 시리얼 모니터에 10진법 형태로 출력한다. 이 경우, 10이 출력된다.
- 05줄 : 변수 x의 값을 이진수(2진법) 형태로 변환하여 시리얼 모니터에 출력한다. 10의 2진법 표현은 1010이므로, 1010이 출력된다.
- 06줄 : 변수 x의 값을 16진법 형태로 변환하여 시리얼 모니터에 출력한다. 10의 16진법 표현은 A이므로, A가 출력된다.
- 07줄 : 변수 x의 값을 8진법 형태로 변환하여 시리얼 모니터에 출력한다. 10의 8진법 표현은 12이므로, 12가 출력된다.

💠 실행 결과[5)]

```
10
1010
A
12
```

---

5) 실행 결과는 시리얼 모니터에서 확인할 수 있다.

3.3. '정수, 실수' 실습

3.3.1 회로 구성 : 이전과 동일

3.3.2 소스 코드 및 실행 결과

3.3.2.1 예제

```
01  void setup() {
02    Serial.begin(9600);
03    int x = B10;
04    int y = 010;
05    int z = 0x10;
06    Serial.println(x);
07    Serial.println(y);
08    Serial.println(z);
09  }
10
11  void loop() {
12  }
```

이 소스 코드는 아두이노에서 서로 다른 수치 표기법을 사용하여 정수 변수를 선언하고, 이들 변수의 값을 시리얼 모니터에 출력하는 과정을 나타내는 예제이다.

- 03줄 : 이진수 표기법을 사용하여 변수 x를 선언하고 초기화한다. B10은 이진수로 10을 의미하며, 십진수로는 2를 의미한다. 아두이노에서는 B 접두사를 사용하여 이진수를 나타낸다.

- 04줄 : 8진수 표기법을 사용하여 변수 y를 선언하고 초기화한다. 010은 8진수로 10을 의미하며, 십진수로는 8을 의미한다. 숫자 앞에 0을 붙임으로써 8진수임을 나타낸다.

- 05줄 : 6진수 표기법을 사용하여 변수 z를 선언하고 초기화한다. 0x10은 16진수로 10을 의미하며, 십진수로는 16을 의미한다. 0x 접두사는 숫자가 16진수임을 나타낸다.

- 06줄 : 변수 x의 값을 시리얼 모니터에 출력한다. 여기서는 이진수 B10이 십진수로 변환되어 2로 출력된다.

- 07줄 : 변수 y의 값을 시리얼 모니터에 출력한다. 여기서는 8진수 010이 십진수로 변환되어 8로 출력된다.
- 08줄 : 변수 z의 값을 시리얼 모니터에 출력한다. 여기서는 16진수 0x10이 십진수로 변환되어 16으로 출력된다.

🔷 실행 결과

```
2
8
16
```

```
3.3.2.2 예제
01  void setup() {
02    Serial.begin(9600);
03    Serial.print("Integer constant: ");
04    Serial.println(10);
05    Serial.print("Float constant: ");
06    Serial.println(3.15, 1);
07    Serial.print("Character constant: ");
08    Serial.println('a');
09    Serial.print("String constant: ");
10    Serial.println("Hello, World!");
11  }
12
13  void loop() {
14  }
```

이 소스 코드는 아두이노를 사용하여 여러 종류의 상수(정수, 부동 소수점, 문자, 문자열)를 시리얼 모니터에 출력하는 예제이다.

- 02줄 : 시리얼 통신을 시작하며, 통신 속도를 9600 보드레이트로 설정한다. 이는 아두이노와 컴퓨터 간의 데이터 통신을 가능하게 한다.
- 03줄 : 시리얼 모니터에 "Integer constant: " 문자열을 출력한다.
- 04줄 : 정수 상수 10을 시리얼 모니터에 출력하고 줄바꿈을 한다.

- 05줄 : 시리얼 모니터에 ″Float constant: ″ 문자열을 출력한다.
- 06줄 : 부동 소수점 상수 3.15를 시리얼 모니터에 소수점 아래 한 자리로 출력하고 줄바꿈을 한다.
- 07줄 : 시리얼 모니터에 ″Character constant: ″ 문자열을 출력한다.
- 08줄 : 문자 상수 ′a′를 시리얼 모니터에 출력하고 줄바꿈을 한다.
- 09줄 : 시리얼 모니터에 ″String constant: ″ 문자열을 출력한다.
- 10줄 : 문자열 상수 ″Hello, World!″를 시리얼 모니터에 출력하고 줄바꿈을 한다.

💠 실행 결과

```
Serial.print("Integer constant: ");
Serial.println(10);
Serial.print("Float constant: ");
Serial.println(3.15, 1);
Serial.print("Character constant: ");
Serial.println('a');
Serial.print("String constant: ");
Serial.println("Hello, World!");
```

3.3.2.3 예제

```
01  void setup() {
02    Serial.begin(9600);
03    int number = 10;
04    float decimal = 3.14;
05    char letter = 'A';
06    Serial.print("Integer variable: ");
07    Serial.println(number);
08    Serial.print("Float variable: ");
09    Serial.println(decimal, 2);
10    Serial.print("Character variable: ");
11    Serial.println(letter);
12  }
13
14  void loop() {
15  }
```

이 소스 코드는 아두이노를 사용하여 정수, 부동 소수점 숫자, 문자형 변수를 시리얼 모니터에 출력하는 예제이다.

- 03줄 : 정수형 변수 number를 선언하고, 그 값을 10으로 초기화한다.
- 04줄 : 부동 소수점형 변수 decimal을 선언하고, 그 값을 3.14로 초기화한다.
- 05줄 : 문자형 변수 letter를 선언하고, 그 값을 ′A′로 초기화한다.
- 06줄 : 시리얼 모니터에 ″Integer variable: ″ 문자열을 출력한다.
- 07줄 : number 변수의 값을 시리얼 모니터에 출력하고 줄바꿈을 한다.
- 08줄 : 시리얼 모니터에 ″Float variable: ″ 문자열을 출력한다.
- 09줄 : decimal 변수의 값을 소수점 아래 두 자리로 정밀도를 설정하여 시리얼 모니터에 출력하고 줄바꿈을 한다.
- 10줄 : 시리얼 모니터에 ″Character variable: ″ 문자열을 출력한다.
- 11줄 : letter 변수의 값을 시리얼 모니터에 출력하고 줄바꿈을 한다.

🌐 실행 결과

```
Character constant: a
String constant: Hello, World!
Integer variable: 10
Float variable: 3.14
Character variable: A
```

3.3.3 아두이노 함수

Serial.begin()과 Serial.println()은 아두이노의 시리얼 통신을 위한 함수들이다.

🌐 Serial.begin()

Serial.begin() 함수는 아두이노 보드의 시리얼 포트를 초기화하고, 데이터 통신을 시작하는 데 사용된다.

이 함수는 시리얼 통신의 전송 속도(baud rate)를 설정하는 매개변수를 받는다. baud rate는 초당 전송되는 비트의 수를 의미하며, 일반적인 값으로는 9600, 14400, 19200, 28800, 38400, 57600, 115200 등이 있다.

🌐 Serial.println()

Serial.println() 함수는 데이터를 시리얼 포트로 보내고, 그 끝에 줄바꿈 문자(엔터 기능)를 추가하여 전송한다. 이를 통해 데이터를 읽기 쉽게 만들 수 있다.

이 함수는 다양한 형태의 매개변수를 받을 수 있다(문자열, 숫자, 변수 등).

```
Serial.println("Hello, Arduino!");
```

이 코드는 "Hello, Arduino!"라는 문자열을 시리얼 포트로 보내고 줄바꿈한다. 이를 통해 컴퓨터의 시리얼 모니터나 다른 시리얼 통신을 사용하는 장치에서 문자열을 읽을 수 있다.

3.3.4 디지털 논리회로 보드 I 이용 실습

디지털 논리회로 보드 I를 이용하여 앞의 소스 코드를 업로드해 보고 시리얼 모니터 상의 출력 결과를 확인해 보자.

3.4. 관련 C언어 문법

3.4.1 상수

C 언어에서 상수는 변하지 않는 값을 나타내는 데 사용되며, 그 값은 프로그램 실행 도중에 변경할 수 없다. 상수는 특정 자료형에 따라 정수형 상수, 실수형 상수, 문자 상수, 문자열 상수 등으로 구분된다.

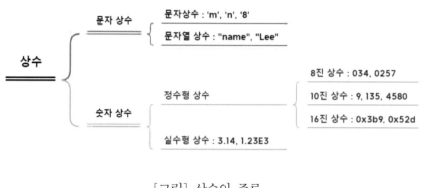

[그림] 상수의 종류

정수형 상수

정수형 상수는 양의 정수, 0, 음의 정수를 포함한다. 정수형 상수는 다음과 같은 여러 가지 형태가 있다.

- 10진수(Decimal) : 가장 일반적으로 사용되는 형태이다. 0부터 9까지의 숫자를 사용한다. 예를 들어, 10, 200, 12345, −139 등이 있다.
- 8진수(Octal) : 0부터 7까지의 숫자를 사용하며 숫자 앞에 0(영)을 붙인다. 예를 들어, 017, 0123 등이 있다.
- 16진수(Hexadecimal) : 0부터 9까지의 숫자와 a(또는 A)부터 f(또는 F)까지의 문자를 사용하며, 숫자 앞에 0x 또는 0X를 붙인다. 예를 들어, 0x1F, 0XACB 등이 있다.

🌐 실수형 상수

C 언어에서 실수형 상수는 소수점이 있는 숫자 또는 지수 표현식을 나타낸다. 실수형 상수는 float 또는 double 형태로 표현될 수 있다. 다음은 실수형 상수의 몇 가지 예이다.

- 소수점 형태 : 예를 들어, 3.14159, 0.123, -0.456 등과 같이 소수점을 포함하는 형태이다.
- 지수 형태 : 실수를 과학적 표기법으로 표현한 형태이다. e 또는 E를 사용해 10의 지수로 표현한다. 예를 들어, 3.14E-2는 3.14×10^{-2}를 나타내고, 이는 0.0314와 같다.

🌐 문자 상수

C 언어에서 문자 상수(character constant)는 작은따옴표(' ')로 묶인 단일 문자를 나타낸다. 예를 들어, 'a', 'A', '1', '$' 등이 문자 상수이다. 문자 상수는 아스키(ASCII) 값에 따라 메모리에 저장된다. 예를 들어, 문자 'A'의 아스키 코드 값은 65이다.

🌐 문자열 상수

C 언어에서 문자열 상수는 쌍따옴표(")로 둘러싸인 문자들의 집합이다. 이 문자열은 메모리에 연속적으로 저장되며, 문자열의 끝은 NULL 문자(\0)로 표시된다. 예를 들어, "Hello, World!" 라는 문자열 상수는 총 13개의 문자('H', 'e', 'l', 'l', 'o', ',', ' ', 'W', 'o', 'r', 'l', 'd', '!')와 마지막에 붙는 NULL 문자로 구성되어 있으며, 이들은 메모리에 연속적으로 저장된다.

3.4.2 변수

🌐 변수의 선언 및 형식

변수는 데이터를 저장하는 메모리 공간에 부여된 이름이다. 변수를 사용하면 저장된 데이터를 참조하거나 변경할 수 있다. C 언어에서 변수를 사용하려면 먼저 변수의 자료형과 변수명을 선언해야 한다. 변수의 선언은 다음과 같은 형식을 가진다.

```
자료형   변수명;
(예) int a;
```

여기서 자료형은 변수가 저장할 데이터의 유형을 나타내며, 변수명은 변수의 이름을 나타낸다. 예를 들어, 정수를 저장하는 변수를 선언하려면 다음과 같이 작성한다.

```
int number;
```

변수에 값을 할당하려면 '=' 연산자를 사용한다. 예를 들어, 앞서 선언한 number 변수에 5를 할당하려면 다음과 같이 작성한다.

```
number = 5;
```

C 언어에는 다양한 유형의 변수가 있으므로, 이들 변수를 저장할 데이터 유형(자료형)도 여러 종류인데, 대표적인 자료형에는 정수형(int), 실수형(float, double), 문자형(char) 등이 있다. 각 자료형은 서로 다른 크기의 메모리를 차지하고, 이에 따라 다른 범위의 값을 표현할 수 있다.

🍥 정수형(int)

정수형 자료형은 정수값을 저장한다. 이는 부호 있는 정수(signed integers)와 부호 없는 정수(unsigned integers)로 나뉘며, 더욱 큰 범위의 정수를 저장하려면 long 또는 long long을 사용할 수 있다.

🍥 실수형(float, double)

실수형 자료형은 소수점이 있는 숫자를 저장한다.

- float : 단정밀도 실수형이다. 메모리에서 4바이트를 차지하며, 약 7자리의 유효 자릿수를 가진다.

- double : 배정밀도 실수형이다. 메모리에서 8바이트를 차지하며, 약 15자리의 유효 자릿수를 가진다.

🌐 문자형(char)

문자형 자료형은 단일 문자를 저장한다. C 언어에서는 아스키 코드를 사용하여 문자를 숫자로 변환하므로, 문자형 변수에는 사실상 작은 정수가 저장된다.

[참고] 아스키 코드

ASCII(American Standard Code for Information Interchange)는 정보 교환을 위한 미국 표준 소스이다. 아스키 코드는 컴퓨터에서 문자와 관련된 데이터를 표현하기 위해 사용되는 7비트 문자 인코딩 체계이다.

아스키 코드는 1960년대에 개발되었으며, 기존의 다양한 문자 인코딩 체계들을 통합하여 표준을 제공하는 목적으로 만들어졌다. 아스키 코드는 7비트로 표현되므로 총 128개의 가능한 문자를 표현할 수 있다.

아스키 코드는 기본적으로 영문 알파벳 대문자와 소문자, 숫자, 일부 특수 문자들을 포함한다. 예를 들어, 대문자 'A'는 아스키 코드에서 65에 해당하고, 소문자 'a'는 97에 해당한다. 숫자 '0'은 48에 해당하며, 특수 문자 중에서는 공백(space)은 32에 해당한다.

아스키 코드는 초기의 컴퓨터 시스템에서 널리 사용되었으며, 여전히 많은 경우에 사용되고 있다. 그러나 아스키 코드는 영문 알파벳 외의 문자나 다른 언어들을 표현하는 데는 한계가 있다. 이후에 다른 문자 인코딩 체계인 유니코드(Unicode)가 개발되어 다양한 언어와 문자를 표현할 수 있게 되었다.

3.5. 참고 자료

3.5.1 단정밀도와 배정밀도(부동 소수점의 표현)

IEEE 754 표준은 컴퓨터에서 부동 소수점 수를 표현하고 계산하는 방법에 대한 국제 표준이다. 이 표준은 1985년에 처음 발표되었으며, 전 세계적으로 가장 널리 사용되는 부동 소수점 표현 방식이다. 이 표준은 "단정밀도" 및 "배정밀도" 두 가지 기본 형식을 정의하고 있다.

- 단정밀도(float) : 이 형식은 32비트(4바이트)를 사용하여 수를 표현한다. 1비트는 부호를, 8비트는 지수를, 나머지 23비트는 유효숫자(또는 가수)를 표현하는 데 사용된다. 이 형식은 대략적으로 7자리의 유효숫자를 가질 수 있다.

- 배정밀도(double) : 이 형식은 일반적인 PC에서 64비트(8바이트)를 사용하여 수를 표현한다[6]. 1비트는 부호를, 11비트는 지수를, 나머지 52비트는 유효숫자(또는 가수)를 표현하는 데 사용된다. 이 형식은 대략적으로 15자리의 유효숫자를 가질 수 있다.

따라서, 배정밀도 형식은 단정밀도 형식보다 더 큰 숫자를 표현하거나 더 높은 정밀도를 제공할 수 있다. 그러나 이러한 이유로 배정밀도 형식이 더 많은 메모리를 차지하고, 때로는 계산 속도가 느려질 수 있다.

3.5.2 자료형에 따른 메모리 공간의 크기(일반 PC 기준)

C 언어에서 자료형마다 사용하는 메모리 공간의 크기는 다르며, 이는 기본적으로 표준에 따라 정해져 있다.

---

6) 아두이노의 경우 32비트(4바이트)를 사용하여 수를 표현한다.

- char : char 데이터 유형은 일반적으로 1바이트(8비트)의 메모리 공간을 차지한다. char는 아스키 문자를 저장하는 데 사용되며, -128에서 127까지의 정수 또는 0에서 255까지의 부호 없는 정수를 표현할 수 있다.

- int : int 데이터 유형은 플랫폼에 따라 그 크기가 다를 수 있지만, 일반적으로 4바이트(32비트)의 메모리 공간을 차지한다. 이는 약 -2,147,483,648에서 2,147,483,647까지의 정수를 표현할 수 있다.

- float : float 데이터 유형은 일반적으로 4바이트(32비트)의 메모리 공간을 차지한다. 이는 IEEE 754 표준에 따라 부동 소수점 수를 표현하는 데 사용된다.

- double : double 데이터 유형은 일반적으로 8바이트(64비트)의 메모리 공간을 차지한다. 이는 float보다 더 큰 범위의 수를 더 높은 정밀도로 표현하는 데 사용되며, 이 또한 IEEE 754 표준을 따른다.

3.5.3 2의 보수 표기법

다음과 같이 4바이트(32비트)로 어떤 숫자를 표현했다고 하자. 이 수는 얼마인가?

| 1 | 1 | 1 | 1 | 1 | 1 | 1 | 1 | 1 | 1 | 1 | 1 | 1 | 1 | 1 | 1 | 1 | 1 | 1 | 1 | 1 | 1 | 1 | 1 | 1 | 1 | 1 | 1 | 1 | 1 | 1 | 1 |

이에 대한 답은 부호를 고려했을 때와 고려하지 않았을 때에 따라 차이가 있다. 부호를 고려하였다면, 이 수는 -1이고, 고려하였다면 4,294,967,295이다. 이는 2의 보수 표기법을 이해해야 알 수 있는 부분이다.

2의 보수 표기법은 컴퓨터에서 음의 정수를 표현하는 데 일반적으로 사용되는 방법이다. 예를 들어 어떤 음수의 2의 보수를 구하는 방법은 다음과 같다.

- 해당 수를 2진수로 변환한다.
- 2진수로 변환한 비트를 반전시킨다(모든 1을 0으로, 모든 0을 1로).
- 반전된 비트에 1을 더한다.

-8의 2의 보수를 구하려면 위의 단계를 따르면 된다. 다음은 4비트에서 2의 보수 변환 과정이다.

- 8의 2진수 변환 : 1000
- 비트 반전 : 0111
- 1 더하기 : 1000

따라서 -8의 2의 보수는 '1000'이다.

만일 2의 보수 표기법으로 주어진 수가 '1111'라면 이것을 정수로 변환시키는 방법은 위의 과정을 반대로 수행해야 한다.

따라서 '1111'의 2의 보수를 다시 구하면 다음과 같다.

- 1 빼기 : 1110
- 비트 반전 : 0001
- 10진수 변환 : 1(음수 붙이기)

따라서 '1111'(2의 보수 표기법에서)은 -1이라는 음수를 나타낸다.

제4장 풀다운 저항과 풀업 저항

4.1. 개요

풀다운 저항과 풀업 저항은 디지털 전자회로에서 주로 사용되는 저항이다. 이 저항들은 불확정한 상태의 입력을 방지하고 명확한 논리 상태를 유지하기 위해 사용된다. 아두이노를 이용한 다양한 전자 부품을 활용하는 메이킹 활동에서, 풀다운 저항과 풀업 저항의 적절한 사용은 필수적이다. 이는 실행 결과가 저항의 연결 방식에 따라 달라지기 때문이다.

- 풀다운 저항은 입력 핀을 접지(GND)에 연결하여 기본적으로 핀을 낮은 상태(LOW)로 유지한다. 스위치나 버튼이 눌러질 때 핀은 전원 공급(VCC)에 연결되어 높은 상태(HIGH)가 된다. 이 저항은 버튼이 눌러있지 않을 때 핀이 높은 상태를 갖지 않도록 한다.

- 풀업 저항은 입력 핀을 전원 공급(VCC)에 연결한다. 이 저항을 통해 입력 핀은 기본적으로 높은 상태(HIGH)를 유지한다. 스위치나 버튼이 눌러지면, 핀은 접지(GND)로 연결되어 낮은 상태(LOW)가 된다.

풀업과 풀다운 저항의 주요 목적은 입력이 연결되지 않았거나 스위치와 같은 부품이 연결되었을 때 발생할 수 있는 '플로팅' 상태, 즉 정의되지 않은 상태의 입력을 방지하는 것이다. 이를 통해 회로의 안정성을 확보할 수 있다.

4.2. 'LED의 풀다운 연결' 실습

4.2.1 회로 구성

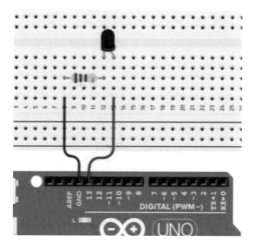

4.2.2 소스 코드 및 실행 결과

4.2.2.1 예제
01	void setup() {
02	pinMode(13, OUTPUT);
03	digitalWrite(13, HIGH);
04	}
05	void loop() {
06	}

이 소스 코드는 이전 절에서 살펴본 소스 코드와 동일하다. 소스 코드를 실행하면, 13번 핀이 +극 역할을 하며 5V의 전압이 공급되어 LED의 불이 켜진다.

4.2.3 디지털 논리회로 보드 I 이용 실습

디지털 논리회로 보드 I에는 아두이노의 디지털 핀 6번에 LED가 풀다운 방식으로 연결되어 있다. LED의 +극은 디지털 6번 핀에, −극은 GND에 연결되어 있는데 이를 확인해 보자. 또한, 소스 코드를 적절히 수정한 후 업로드하여 실행 결과를 확인해 보자.

4.3. 'LED의 풀업 연결' 실습

4.3.1 회로 구성

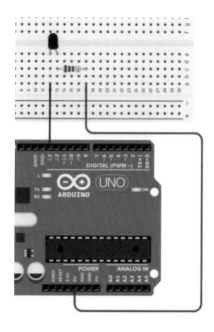

4.3.2 소스 코드 및 실행 결과

```
4.3.2.1 예제
01  void setup() {
02    pinMode(13, OUTPUT);
03    digitalWrite(13, HIGH);
04  }
05  void loop() {
06  }
```

이 소스 코드는 이전 절에서 살펴본 소스 코드와 동일하다. 소스 코드를 실행하면 13번 핀이 +극 역할을 하는 데 반대 쪽도 +5V 이므로 전류가 흐르지 않는다. 따라서 LED에는 전압이 공급되지 않으므로(0V) 불이 켜지지 않는다.

4.3.3 디지털 논리회로 보드 I 이용 실습

디지털 논리회로 보드 I에는 아두이노의 디지털 핀 7번에 LED가 풀업 방식으로 연결되어 있다. LED의 +극은 5V 핀에, −극은 디지털 핀 7번에 연결되어 있는데 이를 확인해 보자. 또한, 소스 코드를 적절히 수정한 후 업로드하여 실행 결과를 이전 결과와 비교해 보자.

4.4. '버튼의 풀다운 저항 연결' 실습

4.4.1 회로 구성

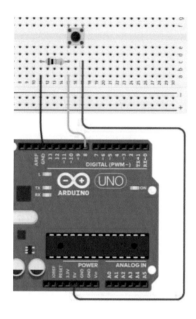

4.4.2 소스 코드 및 실행 결과

```
4.4.2.1 예제
01  void setup() {
02    Serial.begin(9600);
03    pinMode(8, INPUT);
04  }
05  void loop() {
06    Serial.println(digitalRead(8));
07  }
```

이 소스 코드는 아두이노에서 8번 핀의 디지털 입력 상태를 읽어 시리얼 모니터에 출력하는 예제이다.

- 02줄 : 시리얼 통신을 시작하며, 9600 보드레이트(baud rate)로 통신 속도를 설정한다. 이를 통해 아두이노와 컴퓨터 간의 데이터 통신이 가능하다.

- 03줄 : 8번 핀을 입력 모드로 설정한다. 이는 이 핀을 통해 외부에서 오는 디지털 신호(예 : 버튼의 상태)를 읽기 위해 사용된다.
- 06줄 : 8번 핀에서 읽은 디지털 값을 시리얼 모니터에 출력한다. digitalRead(8); 은 8번 핀의 상태를 HIGH(1) 또는 LOW(0)로 읽는다. 8번 핀이 풀다운 저항으로 연결되었기 때문에 해당 핀이 HIGH 상태라면 1을, LOW 상태라면 0을 반환한다. 이 값은 시리얼 모니터에 출력되어 사용자가 확인할 수 있다.

소스 코드를 실행하면 시리얼 모니터 상에서 버튼을 누르면 HIGH 상태가 되어 1이 출력되고, 버튼을 놓으면 LOW 상태가 되어 0이 출력된다.

4.4.3 아두이노 함수

🌐 digitalRead() 함수

digitalRead() 함수는 아두이노의 특정 디지털 핀에서 신호를 읽는 데 사용된다. 주로 버튼, 스위치, 센서와 같은 외부 장치로부터의 디지털 입력을 감지하는 데 쓰인다.

digitalRead() 함수의 기본 구조는 다음과 같다.

```
digitalRead(pin);
```

- pin : 읽을 디지털 핀의 번호이다. 아두이노 보드에는 여러 개의 디지털 핀이 있으며, 이들 각각은 고유한 번호를 가진다.
- 반환값 : 핀의 상태를 나타내는 값이며, HIGH 또는 LOW 중 하나이다. HIGH 는 핀에 전압이 있음을 나타내며, 보통은 5V인 경우를 말한다. LOW는 핀에 전압이 없음을 나타내며, 0V에 해당한다.

digitalRead() 함수를 사용하기 전에 해당 핀을 입력 모드로 설정하는 것이 중요하다. 이를 위해 pinMode(pin, INPUT) 또는 pinMode(pin, INPUT_PULLUP) 함수를 사용하여 핀을 올바르게 설정해야 한다.

4.4.4 디지털 논리회로 보드 I 이용 실습

디지털 논리회로 보드 I에는 아두이노의 디지털 핀 8번에 버튼이 풀다운 저항 방식으로 연결되어 있는데 이를 확인해 보자. 또한, 이전 소스 코드를 적절히 수정한 후 업로드하여 시리얼 모니터에 나오는 결과를 확인해 보자.

4.5. '버튼의 풀업 저항 연결' 실습

4.5.1 회로 구성

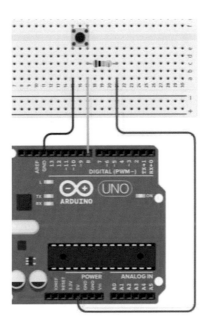

4.5.2 소스 코드 및 실행 결과

4.5.2.1 예제

```
01 | void setup() {
02 |   Serial.begin(9600);
03 |   pinMode(8, INPUT);
04 | }
05 | void loop() {
06 |   Serial.println(digitalRead(8));
07 | }
```

이 소스 코드는 이전과 동일한 아두이노에서 8번 핀의 디지털 입력 상태를 읽어 시리얼 모니터에 출력하는 예제이다.

- 06줄 : 8번 핀이 풀업 저항으로 연결되었기 때문에 해당 핀이 HIGH 상태라면 0을, LOW 상태라면 1을 반환한다.

이전 풀다운 저항 연결에서의 소스 코드와 동일하다. 그러나 풀업 저항으로 회로를 구성하였기 때문에 시리얼 모니터에서 출력값은 반대가 된다. 즉, 버튼을 누르면 0이 출력되고, 버튼을 놓으면 1이 출력된다.

4.5.3 디지털 논리회로 보드 I 이용 실습

디지털 논리회로 보드 I에는 아두이노의 디지털 핀 9번에 버튼이 풀업 저항 방식으로 연결되어 있는데 이를 확인해 보자. 또한, 이전 소스 코드를 적절히 수정한 후 업로드하여 시리얼 모니터에 나오는 결과를 확인해 보자.

4.6. '버튼의 내부 풀업 저항 연결' 관련 실습

4.6.1 회로 구성

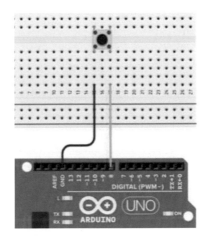

4.6.2 소스 코드 및 실행 결과

```
4.6.2.1 예제
01  void setup() {
02    Serial.begin(9600);
03    pinMode(8, INPUT_PULLUP);
04  }
05  void loop() {
06    Serial.println(digitalRead(8));
07  }
```

이 소스 코드는 아두이노에서 8번 핀의 디지털 입력 상태를 읽어 시리얼 모니터에 출력하는 예제이며, 특히 8번 핀을 내부 풀업 저항을 사용하는 입력 모드로 설정한다.

• 03줄 : 8번 핀을 내부 풀업 저항을 사용하는 입력 모드(INPUT_PULLUP)로 설정한다. 이 설정은 내장 풀업 저항을 활성화 하기 때문에 외부의 풀업 저항을 연결할 필요가 없다.

이전 외부 풀업 저항을 연결했을 때와 실행 결과는 동일하다. 즉, 버튼을 누르면 0이 출력되고, 버튼을 놓으면 1이 출력된다.

4.6.3 디지털 논리회로 보드 I 이용 실습

디지털 논리회로 보드 I에는 아두이노의 디지털 핀 10번에 버튼이 내부 풀업 저항 방식으로 연결되어 있는데 이를 확인해 보자. 또한, 이전 소스 코드를 적절히 수정한 후 업로드하여 시리얼 모니터에 나오는 결과를 확인해 보자.

4.7. 참고 자료

4.7.1 회로 구성 전자 부품

🌐 버튼

△ 틴커캐드   △ 실물

버튼[7]은 아두이노에서 사용자 입력을 받거나 특정 기능을 제어할 때 사용한다. 위의 그림은 누름 버튼으로 버튼이 눌러지지 않은 상태에서는 연결이 끊어져 있다. 버튼을 누르면 내부의 두 연결 단자가 닫혀 회로가 연결되며, 버튼을 놓으면 다시 연결이 끊어진다.

---

7) '버튼'은 '스위치'와 혼용되어 사용된다. 이 교재에서도 '누름 버튼'과 같이 스위치와 버튼을 혼용하여 사용하였다.

제5장 기본 게이트 실습(N입력-1출력)

5.1. 개요

5.1.1 게이트

디지털 논리회로에서 "게이트"는 디지털 신호를 처리하는 기본적인 구성 요소이다. 게이트는 하나 이상의 입력 신호를 받아서 특정 논리 연산을 수행한 후, 그 결과를 하나의 출력 신호로 제공한다. 이 논리 연산은 불 대수(Boolean Algebra)에 기반을 두고 있으며, 주로 AND, OR, NOT, NAND, NOR, XOR, XNOR 등의 기본 게이트로 구성된다.

- AND 게이트 : 모든 입력이 참(1)일 때만 참(1)을 출력한다.
- OR 게이트 : 입력 중 하나라도 참(1)이면 참(1)을 출력한다.
- NOT 게이트 : 단일 입력의 논리적 부정을 수행하며, 입력이 참(1)일 경우 거짓(0)을 출력한다.
- 버퍼 게이트 : 입력이 참(1)일 경우 참(1)을, 거짓(0)일 경우 거짓(0)을 출력한다.
- NAND 게이트 : AND 게이트의 출력을 반전시킨 것으로, 입력 중 하나라도 거짓(0)이면 출력이 참(1)이 된다.
- NOR 게이트 : OR 게이트의 출력을 반전시킨 것으로, 모든 입력이 거짓(0)일 때만 출력이 참(1)이다.

- XOR 게이트 (배타적 OR): 입력들 중 정확히 하나만 참(1)일 때 출력이 참(1)
  이 되는 게이트이다.
- XNOR 게이트 : XOR 게이트의 출력을 반전시킨 것으로, 입력들이 동일할 때
  참(1)을 출력한다.

5.1.2 각 게이트의 진리표

각 게이트의 진리표는 다음과 같다.

- 버퍼 게이트

A	F
0	0
1	1

- NOT 게이트

A	F
0	1
1	0

- AND 게이트(2입력)

A	B	F
0	0	0
0	1	0
1	0	0
1	1	1

- OR 게이트(2입력)

A	B	F
0	0	0
0	1	1
1	0	1
1	1	1

- NAND 게이트(2입력)

A	B	F
0	0	1
0	1	1
1	0	1
1	1	0

- NOR 게이트(2입력)

A	B	F
0	0	1
0	1	0
1	0	0
1	1	0

- XOR 게이트(2입력)

A	B	F
0	0	0
0	1	1
1	0	1
1	1	0

- XNOR 게이트(2입력)

A	B	F
0	0	1
0	1	0
1	0	0
1	1	1

- AND 게이트(3입력)

A	B	C	F
0	0	0	0
0	0	1	0
0	1	0	0
0	1	1	0
1	0	0	0
1	0	1	0
1	1	0	0
1	1	1	1

- OR 게이트(3입력)

A	B	C	F
0	0	0	0
0	0	1	1
0	1	0	1
0	1	1	1
1	0	0	1
1	0	1	1
1	1	0	1
1	1	1	1

- NAND 게이트(3입력)

A	B	C	F
0	0	0	1
0	0	1	1
0	1	0	1
0	1	1	1
1	0	0	1
1	0	1	1
1	1	0	1
1	1	1	0

- NOR 게이트(3입력)

A	B	C	F
0	0	0	1
0	0	1	0
0	1	0	0
0	1	1	0
1	0	0	0
1	0	1	0
1	1	0	0
1	1	1	0

- XOR 게이트(3입력)

A	B	C	F
0	0	0	0
0	0	1	1
0	1	0	1
0	1	1	0
1	0	0	1
1	0	1	0
1	1	0	0
1	1	1	1

- XNOR 게이트(3입력)

A	B	C	F
0	0	0	1
0	0	1	0
0	1	0	0
0	1	1	1
1	0	0	0
1	0	1	1
1	1	0	1
1	1	1	0

5.2. '버퍼, NOT 게이트' 실습

5.2.1 회로 구성(버튼의 외부 풀업 저항 연결)[8]

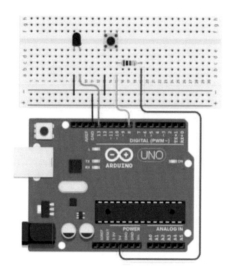

5.2.2 소스 코드 및 실행 결과

5.2.2.1 예제

```
01  void setup() {
02    pinMode(13, OUTPUT);
03    pinMode(8, INPUT);
04  }
05
06  void loop() {
07    int value = digitalRead(8);
08    if (value == HIGH) {
09      digitalWrite(13, HIGH);
10    }
11    else {
12      digitalWrite(13, LOW);
13    }
14  }
```

---

8) 시뮬레이션으로 실습을 진행하므로 LED에 연결된 저항은 생략하였다.

이 소스 코드는 아두이노에서 8번 핀의 입력(버튼)을 읽고, 이를 바탕으로 13번 핀의 출력(LED)을 제어하는 예제이다.

- 02줄 : 13번 핀을 출력 모드로 설정하여 이 핀을 LED를 제어하는데 사용한다.
- 03줄 : 8번 핀을 입력 모드로 설정하여 이 핀을 버튼의 상태를 읽는데 사용한다.
- 07줄 : 8번 핀의 입력 상태를 읽어 value 변수에 저장한다. HIGH는 버튼이 눌렸을 때, LOW는 버튼이 눌리지 않았을 때를 의미한다.
- 08줄 : value 변수의 값이 HIGH인 경우, 즉 버튼이 눌렸을 때 수행될 조건문을 시작한다.
- 09줄 : 조건이 참인 경우, 즉 버튼이 눌렸을 때 13번 핀으로 HIGH 신호를 출력한다. 이는 연결된 LED를 켜는 데 사용된다.
- 11줄 : else는 if 조건문의 조건이 거짓인 경우, 즉 버튼이 눌리지 않았을 때 실행될 코드 블록을 시작한다.
- 12줄 : 버튼이 눌리지 않았을 때 13번 핀으로 LOW 신호를 출력한다. 이는 연결된 LED를 끄는 데 사용된다.

이 소스 코드를 실행하고 버튼을 누르면 LED가 켜지고 버튼을 떼면 LED가 꺼진다. 이는 디지털 논리회로에서 버퍼 게이트를 구현한 것이다. 만약 위 소스 코드에서 if, else 문 내부의 HIGH와 LOW를 바꾸면 NOT 게이트를 구현할 수 있다.

5.2.3 회로 구성(아두이노 내부 풀업 저항 연결)

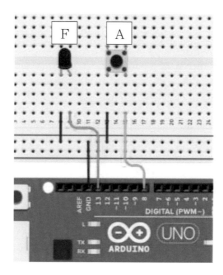

5.2.4 소스 코드 및 실행 결과

```
5.2.4.1 예제
01  void setup() {
02    pinMode(13, OUTPUT);
03    pinMode(8, INPUT_PULLUP);
04  }
05
06  void loop() {
07    int value = !(digitalRead(8));
08    if (value == HIGH) {
09      digitalWrite(13, HIGH);
10    }
11    else {
12      digitalWrite(13, LOW);
13    }
14  }
```

이 소스 코드는 아두이노에서 내부 풀업 저항을 활성화한 8번 핀의 입력(버튼)을 읽고, 이 상태에 따라 13번 핀의 출력(LED)을 제어하는 예제이다.

- 03줄 : 8번 핀을 입력 모드로 설정하고 내부 풀업 저항을 활성화한다. 이 설정은 외부 저항 없이 버튼 입력을 사용할 수 있게 해 준다. 버튼이 눌리지 않았을 때 8번 핀은 HIGH를, 눌렸을 때는 LOW를 읽는다.
- 07줄 : 8번 핀의 상태를 읽고, 그 결과를 논리 부정(!) 연산자로 반전시켜 value 변수에 저장한다. 이는 INPUT_PULLUP 모드에서 버튼이 눌렸을 때 LOW가 되는 것을 HIGH로 변환하여 처리한다.
- 08줄 : value 변수의 값이 HIGH인 경우, 즉 버튼이 눌렸을 때 수행될 조건문을 시작한다.
- 09줄 : 조건이 참인 경우, 즉 버튼이 눌렸을 때 13번 핀으로 HIGH 신호를 출력한다. 이는 연결된 LED를 켜는 데 사용된다.
- 12줄 : 버튼이 눌리지 않았을 때 13번 핀으로 LOW 신호를 출력한다. 이는 연결된 LED를 끄는 데 사용된다.

이 소스 코드를 실행하고 버튼을 누르면 LED가 켜지고 버튼을 떼면 LED가 꺼진다. 이는 디지털 논리회로에서 버퍼 게이트를 구현한 것으로 아두이노의 내부 풀업 저항을 사용하여 회로를 간소화한 것이다.

5.2.5 디지털 논리회로 보드 Ⅱ 이용 실습

디지털 논리회로 보드 Ⅱ에서 아두이노의 디지털 핀 4번에 LED(풀다운 방식)를, 디지털 핀 12번에 버튼(내부 풀업 저항 이용)을 연결하였다. 이 보드에서 앞의 소스 코드를 이용하여 버퍼 및 NOT 게이트를 구현해 보자.

5.3. '2입력 AND, OR, NAND, NOR, XOR, XNOR 게이트' 실습

5.3.1 회로 구성

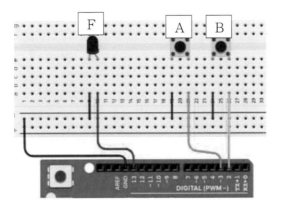

5.3.2 소스 코드 및 실행 결과

5.3.2.1 예제

```
01  void setup() {
02    pinMode(13, OUTPUT);
03    pinMode(2, INPUT_PULLUP);
04    pinMode(3, INPUT_PULLUP);
05  }
06
07  void loop() {
08    int B_btn = !digitalRead(2);
09    int A_btn = !digitalRead(3);
10
11    if ((B_btn && A_btn) == HIGH) {
12      digitalWrite(13, HIGH);
13    } else {
14      digitalWrite(13, LOW);
15    }
16  }
```

이 소스 코드는 아두이노에서 두 개 버튼(2번 핀과 3번 핀에 연결)의 상태를 동시에 확인하고, 두 버튼이 모두 눌려있을 때에만 13번 핀에 연결된 LED를 켜는 예제이다.

- 02줄 : 13번 핀을 출력 모드로 설정한다. 이는 이 핀을 LED를 제어하기 위해 사용된다.
- 03줄 : 2번 핀을 입력 모드로 설정하고 내부 풀업 저항을 활성화한다. 이 설정은 외부 저항 없이 버튼 입력을 사용할 수 있게 해 주며, 버튼이 눌리지 않았을 때는 HIGH, 눌렀을 때는 LOW를 읽는다.
- 04줄 : 3번 핀에 대해 동일하게 적용되어, 내부 풀업 저항을 활성화하고 입력 모드로 설정한다.
- 08줄 : 2번 핀의 상태를 읽고, 결과를 논리 부정 연산자로 반전시켜 B_btn 변수에 저장한다. 이는 INPUT_PULLUP 모드에서 버튼이 눌렀을 때 HIGH를 의미한다.
- 09줄 : 3번 핀의 상태를 읽고, 마찬가지로 결과를 반전시켜 A_btn 변수에 저장한다.
- 11줄 : if 조건문은 B_btn과 A_btn 변수의 값이 모두 HIGH일 경우, 즉 두 버튼이 모두 눌러있을 때 참이 된다. && 연산자는 논리 AND 연산자로, 두 조건이 모두 참(TRUE)일 때만 전체 조건식이 참이 되도록 하는 연산자이다.
- 12줄 : 조건이 참일 때, 즉 두 버튼이 동시에 눌렀을 때 13번 핀으로 HIGH 신호를 출력하여 연결된 LED를 켠다.
- 14줄 : 두 버튼 중 하나라도 눌리지 않았을 때 13번 핀으로 LOW 신호를 출력하여 LED를 끈다.

이 소스 코드를 실행하면 두 버튼을 동시에 LED가 켜지고 둘 다 누르지 않거나, 한 개를 눌렀을 때는 LED가 켜지지 않는 AND 게이트를 기능이 실행된다. 11줄의 if 문안의 연산자를 수정하면 입력 신호가 2개인 OR, NAND, NOR, XOR, XNOR 게이트를 구현할 수 있다[9].

---

9) &&:AND 연산, ||:OR 연산, ^:XOR연산

5.3.3 디지털 논리회로 보드 II 이용 실습

디지털 논리회로 보드 II에서 아두이노의 디지털 핀 4번에 LED(풀다운 방식)를, 디지털 핀 11번과 12번에 버튼(내부 풀업 저항 이용)을 연결하였다. 12번 핀에 연결된 버튼을 입력 A, 11번 핀에 연결된 버튼을 입력 B, 4번 핀에 연결된 LED를 출력 Y라고 가정하고, 앞의 소스 코드를 적절히 수정하여 2입력 AND, OR, NAND, NOR, XOR, XNOR 게이트를 구현해 보자.

5.4. '3입력 AND, OR, NAND, NOR, XOR, XNOR 게이트' 실습

5.4.1 회로 구성

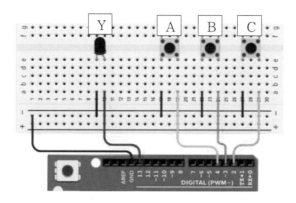

5.4.2 소스 코드 및 실행 결과

```
5.4.2.1 예제
01  void setup() {
02    pinMode(13, OUTPUT);
03    pinMode(2, INPUT_PULLUP);
04    pinMode(3, INPUT_PULLUP);
05    pinMode(4, INPUT_PULLUP);
06  }
07
08  void loop() {
09    int C_btn = !(digitalRead(2));
10    int B_btn = !(digitalRead(3));
11    int A_btn = !(digitalRead(4));
12
13    if (( A_btn || B_btn || C_btn ) == 1) {
14      digitalWrite(13, HIGH);
15    } else {
16      digitalWrite(13, LOW);
17    }
18  }
```

이 소스 코드는 아두이노의 세 개 버튼 중 어느 하나라도 눌려 있을 경우, 13번 핀에 연결된 LED를 켜고 모두 눌리지 않았을 경우 LED를 끄는 예제이다.

- 03-05줄 : 각각 2번, 3번, 4번 핀을 내부 풀업 저항을 활성화한 입력 모드로 설정한다. 이는 외부 저항 없이 버튼 입력을 사용할 수 있게 해 준다. 버튼이 눌리지 않았을 때 각 핀은 HIGH를, 눌렸을 때는 LOW를 읽는다.

- 09-11줄 : 각각 2번, 3번, 4번 핀의 상태를 읽고, 그 결과를 논리 부정(!) 연산자로 반전시켜 각 버튼의 상태를 나타내는 변수(A_btn, B_btn, C_btn)에 저장한다. 이는 INPUT_PULLUP 모드에서 버튼이 눌렸을 때 LOW가 되는 것을 HIGH로 변환하여 처리한다.

- 13줄 : 이 조건문은 세 버튼 중 하나라도 눌려 있으면 참(HIGH)이 되는 조건을 검사한다. || 연산자는 논리합(OR) 연산을 수행하며, 세 변수 중 하나라도 HIGH 값이면 결과는 HIGH가 된다.

- 14줄 : 조건이 참인 경우, 즉 하나 이상의 버튼이 눌렸을 때 13번 핀으로 HIGH 신호를 출력하여 LED를 켠다.

- 15줄 : 모든 버튼이 눌리지 않았을 때 실행되어 13번 핀으로 LOW 신호를 출력하고 LED를 끈다.

이 소스 코드를 실행하면 세 버튼 중 하나를 눌렀을 때 LED가 켜지는 OR 게이트 기능이 실행된다. 13줄의 if 문안의 연산자를 수정하면 입력 신호가 3개인 AND, NAND, NOR, XOR, XNOR 게이트를 구현할 수 있다.

5.4.3 디지털 논리회로 보드 Ⅱ 이용 실습

디지털 논리회로 보드 Ⅱ에서 아두이노의 디지털 핀 4번에 LED(풀다운 방식)를, 디지털 핀 10번, 11번, 12번에 버튼(내부 풀업 저항 이용)을 연결하였다. 12번 핀에 연결된 버튼을 입력 A, 11번 핀에 연결된 버튼을 입력 B, 10번 핀에 연결된 버튼을 입력 C, 4번 핀에 연결된 LED를 출력 Y라고 가정하고, 앞의 소스 코드를 적절히 수정하여 3입력 AND, OR, NAND, NOR, XOR, XNOR 게이트를 구현해 보자.

5.5. 관련 C언어 문법 1 : 연산자

연산자는 특정한 종류의 연산을 수행하도록 하는 기호로, 주어진 데이터에 대해 연산을 수행하고, 그 결과를 반환한다.

⊕ 대입 연산자

대입 연산자는 대입 연산자(=)는 변수에 값을 할당하는 데 사용된다. 대입 연산자는 오른쪽 피연산자의 값을 왼쪽 피연산자에 저장한다.

다음 예제의 첫 번째 줄은 'a'라는 이름의 정수 변수를 선언한다. 두 번째 줄에서는 대입 연산자(=)를 사용하여 이 변수에 값 10을 할당한다. 이 프로그램을 실행한 후에는 'a'의 값이 10이 된다.

```
int a;
a = 10;
Serial.println(a);  // 출력 : 10
```

⊕ 산술 연산자

산술 연산자는 이름에서 알 수 있듯이 수학적인 계산을 수행하는 연산자이다. C언어에서 제공하는 기본적인 산술 연산자에는 더하기(+), 빼기(-), 곱하기(*), 나누기(/), 나머지(%) 등이 있다. 산술 연산자는 변수에 저장된 값 또는 직접적인 값을 사용하여 연산을 수행할 수 있다.

- 더하기(+) : 두 피연산자의 합을 반환한다.
- 빼기(-) : 첫 번째 피연산자에서 두 번째 피연산자를 뺀 결과를 반환한다.
- 곱하기(*) : 두 피연산자의 곱을 반환한다.
- 나누기(/) : 첫 번째 피연산자를 두 번째 피연산자로 나눈 결과를 반환한다. 정수 나눗셈은 몫만 반환한다.

```
int a = 5, b = 3;
int c = a / b;
Serial.println(c);  // 출력 : 1
```

- 나머지(%) : 첫 번째 피연산자를 두 번째 피연산자로 나눈 후의 나머지를 반환
  한다. 나머지 연산자는 정수에서만 사용한다.

```
int a = 5, b = 3;
int c = a % b;
Serial.println(c);  // 출력 : 2
```

⬢ 비교 연산자

비교 연산자는 두 피연산자를 비교하고, 그 결과를 정수형으로 반환한다. 이때,
참인 경우 1을, 거짓인 경우 0을 반환한다. C 언어에서는 다음과 같은 비교 연산자
를 사용할 수 있다.

- == : 두 피연산자가 같은 값인지 검사한다.

```
int a = 5, b = 3;
Serial.println(a == b);  // 출력 : 0
```

- != : 두 피연산자가 다른 값인지 검사한다.

```
int a = 5, b = 3;
Serial.println(a != b);  // 출력 : 1
```

- < : 첫 번째 피연산자가 두 번째 피연산자보다 작은지 검사한다.
- > : 첫 번째 피연산자가 두 번째 피연산자보다 큰지 검사한다.
- <= : 첫 번째 피연산자가 두 번째 피연산자보다 작거나 같은지 검사한다.
- >= : 첫 번째 피연산자가 두 번째 피연산자보다 크거나 같은지 검사한다.

🔅 증감 연산자

증감 연산자는 변수의 값을 1 증가시키거나 1 감소시키는 연산자이며, 두 가지 종류가 있다.

- 전위 증감 연산자(++x 또는 ─x) : 변수의 값을 먼저 변경하고, 그 후에 표현식을 계산한다.
- 후위 증감 연산자(x++ 또는 x--) : 먼저 표현식을 계산하고, 그 후에 변수의 값을 변경한다.

아래 예제에서 ++x는 전위 증감 연산자이다. 이는 먼저 x의 값을 1 증가시킨 후(x는 이때 11이 된다). 그 값을 y에 할당한다(y는 이때 11이 된다).

```
int x = 10;
int y = ++x;
```

아래 예제에서 x++는 후위 증감 연산자이다. 이는 먼저 x의 현재 값을 y에 할당한다(y는 이때 10이 된다). 이후 x의 값을 1 증가시킨다(x는 이때 11이 된다).

```
int x = 10;
int y = x++;
```

증감 연산자는 반복문에서 인덱스를 증가시키거나 감소시키는 데 주로 사용된다. 이러한 연산자는 소스를 간결하게 만들어 주며, 때로는 연산을 최적화하는 데도 도움이 된다. 한편, 증감 연산자는 단독으로 사용될 때에는 전위와 후위에 따른 차이가 없지만, 다른 연산과 함께 사용될 때에는 연산 순서에 따라 결과가 달라질 수 있으므로 주의해야 한다.

논리 연산자[10]

논리 연산자는 주어진 조건의 논리적 판단을 통해 참(1) 또는 거짓(0)을 결정하는 연산자이다. C 언어에는 다음과 같은 논리 연산자가 있다.

- && : AND 연산자 – 두 조건이 모두 참일 때 참을 반환한다. 만약 두 조건 중 하나라도 거짓이면 거짓을 반환한다.
- || : OR 연산자 – 두 조건 중 하나라도 참일 때 참을 반환한다. 만약 두 조건이 모두 거짓이면 거짓을 반환한다.
- ! : NOT 연산자 – 주어진 조건이 참이면 거짓을 반환하고, 거짓이면 참을 반환한다.

```
int x = 5;
int y = 10;

Serial.println(x > 0 && y > 0);  // 출력 : 1
Serial.println(x > 0 || y < 0);  // 출력 : 1
Serial.println(!(x > 0));  // 출력 : 0
```

비트 논리 연산자

비트 논리 연산자는 피연산자를 비트 단위로 연산한다. 이 연산자들은 각 비트에 대해 독립적으로 동작하며, 이진수 형태의 데이터를 조작할 때 주로 사용된다.

- & : 비트 AND 연산자 – 두 비트가 모두 1일 때만 1을 반환하고, 그 외의 경우에는 0을 반환한다.
- | : 비트 OR 연산자 – 두 비트 중 하나라도 1일 때 1을 반환하고, 두 비트가 모두 0일 때만 0을 반환한다.
- ^ : 비트 XOR 연산자 – 두 비트가 서로 다르면 1을 반환하고, 두 비트가 같으면 0을 반환한다.

---

10) 이전 소스 코드에서 &&, ||, ! 등의 논리 연산자는 &, |, ~ 등의 비트 논리 연산자를 사용해도 된다. 이는 아두이노의 입력이나 출력 신호가 0, 1 이기 때문이다.

- ~ : 비트 NOT 연산자 - 주어진 비트를 뒤집는다. 즉, 0은 1로, 1은 0으로 변환한다.

```
int x = 12;
int y = 10;

Serial.println(a & b);    // 출력 : 8
Serial.println(a | b);    // 출력 : 10
Serial.println(a ^ b);    // 출력 : 6
Serial.println(~a);       // 출력 : -13
```

[참고] 비트 논리 연산자의 연산 과정

5.5.1.1 예제

```
01  void setup() {
02    Serial.begin(9600);
03    int a = 12;
04    int b = 10;
05
06    Serial.println(a & b);
07    Serial.println(a | b);
08    Serial.println(a ^ b);
09    Serial.println(~a);
10  }
11
12
13  void loop() {
14  }
```

이 소스 코드는 아두이노를 사용하여 비트 연산을 수행하고, 그 결과를 시리얼 모니터에 출력하는 예제이다. 이 예제에서는 두 변수 a와 b에 대해 비트 AND, OR, XOR 연산과 a에 대한 비트 NOT 연산을 수행한다.

- 03줄 : 정수형 변수 a를 선언하고, 12(2진 표현:1100)로 초기화한다.
- 04줄 : 정수형 변수 b를 선언하고, 10(2진 표현:1010)으로 초기화한다.
- 06줄 : 변수 a와 b에 대한 비트 AND 연산의 결과를 시리얼 모니터에 출력한다. AND 연산은 두 비트가 모두 1일 때 결과가 1이 된다. 12와 10의 이진 표현은 각각 1100과 1010이므로 결과는 1000(10진수 8)이 된다.

- 07줄 : 변수 a와 b에 대한 비트 OR 연산의 결과를 시리얼 모니터에 출력한다. OR 연산은 두 비트 중 하나라도 1이면 결과가 1이 된다. 12와 10의 이진 표현을 비교하면 결과는 1110(10진수 14)이 된다.
- 08줄 : 변수 a와 b에 대한 비트 XOR(배타적 OR) 연산의 결과를 시리얼 모니터에 출력한다. XOR 연산은 두 비트가 서로 다를 때 결과가 1이 된다. 12와 10의 이진 표현을 비교하면 결과는 0110 (10진수로 6)이 된다.
- 09줄 : 변수 a에 대한 비트 NOT 연산의 결과를 시리얼 모니터에 출력한다. NOT 연산은 모든 비트를 반전시킨다(1은 0으로, 0은 1로). 12의 이진 표현은 1100이며, 이를 반전하면 0011이 된다. 그러나 C 언어에서는 이 값을 2의 보수 형태로 표현하므로 결과는 -13이 된다.

5.6. 관련 C언어 문법 2 : 조건문

조건문은 프로그램의 흐름을 제어하는 중요한 구문이다. 특정 조건이 참인지 거짓인지에 따라 다른 명령문을 실행하도록 한다.

⬢ if 문

if문은 가장 기본적인 형태의 조건문이다. if 다음의 괄호 안에 있는 조건식이 참(0이 아닌 값)이면, if문 블록 내부의 소스가 실행된다.

```
if (조건식) {
    실행문;
}
```

- 조건식은 참(true, C에서는 주로 0이 아닌 값을 의미) 또는 거짓(false, C에서는 0을 의미)의 값을 반환하는 표현식이다. 이 조건식이 참일 경우 if 문 내의 실행문이 실행되며, 거짓일 경우 실행문은 건너뛴다.
- 실행문은 조건식이 참인 경우에만 실행되는 코드 블록이다.

⚙ if-else문

if-else문은 if문의 조건이 거짓일 경우를 처리하기 위해 사용한다. if문의 조건이 참이면 if 블록의 소스가, 거짓이면 else 블록의 소스가 실행된다.

```
if (조건식) {
    실행문 1;
} else {
    실행문 2;
}
```

- 조건식은 참 또는 거짓의 값을 반환하는 표현식이다.
- 실행문 1은 조건식이 참일 경우 실행되는 코드 블록이다.
- 실행문 2은 조건식이 거짓일 경우 실행되는 코드 블록이다.

⚙ if-else if-else문

if-else if-else문은 여러 조건을 체크 하고자 할 때 사용한다. 조건은 위에서 아래로 차례대로 평가되며, 참인 조건을 만나면 해당 블록의 소스가 실행되고, 나머지 조건은 무시된다.

```
if (조건식) {
    실행문 1;
} else if (조건식) {
    실행문 2;
} else if (조건식) {
    실행문 3;
else {
    실행문 4;
}
```

- 조건식은 참 또는 거짓의 값을 반환하는 표현식이다.
- 실행문 1, 2, 3은 조건식이 참일 때 실행되는 코드 블록이다.
- else는 위의 어떤 조건식도 참이 아닐 경우 실행되는 코드 블록이다.

5.7. 참고 자료

5.7.1 스위치, 전구로 구현한 기본 게이트

🌐 회로도

스위치, 전구, 건전지를 이용하여 기본 게이트를 구현해 본 회로도는 다음과 같다.

- AND 게이트

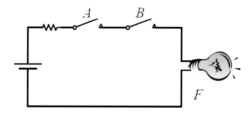

- OR 게이트

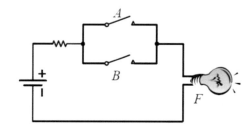

- NOT 게이트

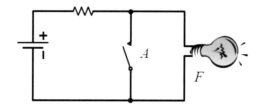

⊕ 브레드보드 이용 회로 구성

앞의 회로를 틴커캐드에서 LED와 누름 버튼을 이용하여 구현이 가능하다. 이 경우 극성이 있는 LED를 사용해야 하고 브레드보드의 회로 연결 방법도 익혀야 하기 때문에 회로 구성에 다소 어려움을 겪을 수 있다.

5.7.1.1 예제
* AND 게이트

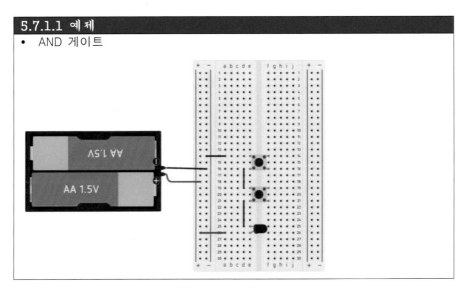

5.7.1.2 예제
* OR 게이트

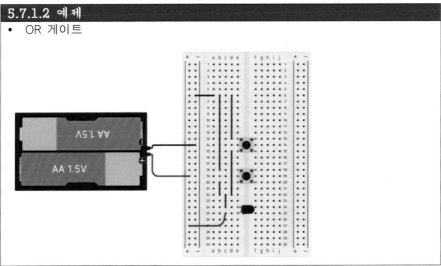

5.7.1.3 예제

• NOT 게이트

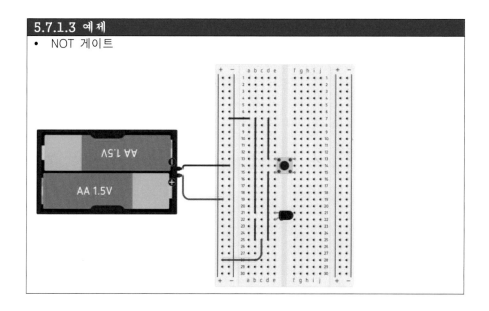

5.7.2 트랜지스터로 구현한 기본 게이트

🔘 회로도

다음은 트랜지스터를 이용하여 각 게이트를 구현한 회로도이다. 그 중 AND 게이트를 구현한 사례를 설명하면 다음과 같다. AND 게이트를 구현하기 위해서는 두 개 이상의 입력 신호가 모두 높은 상태일 때만 출력이 높은 상태가 되는 조건이 필요하다. 트랜지스터를 사용한 AND 게이트를 구성할 때, 트랜지스터를 직렬로 연결한다. 이 구성에서는 모든 트랜지스터의 베이스에 HIGH 신호가 도달해야만 각각의 트랜지스터가 전도 상태가 되어 전류가 흐를 수 있다.

직렬로 연결된 트랜지스터의 베이스에 입력 신호를 제공한다. 모든 입력이 HIGH 상태(일반적으로 +5V 또는 '1'로 표현)일 때, 모든 트랜지스터의 베이스-에미터 접합이 전도 상태가 되어 트랜지스터는 포화 상태에 도달한다. 이 상태에서는 컬렉터와 에미터 사이의 전압이 거의 0V에 가까워지며, 전류는 컬렉터에서 에미터로 자유롭게 흐른다. 그 결과 출력도 HIGH 상태가 된다.

반면, 하나 이상의 입력이 LOW 상태(0V 또는 '0'로 표현)일 때는 해당 입력에 연결된 트랜지스터가 차단 상태가 되고, 전류는 그 경로를 통해 흐를 수 없다. 이로 인해 출력은 LOW 상태가 된다. 결과적으로 모든 입력이 높을 때만 출력이 높아지는 AND 게이트의 논리를 실현할 수 있다.

- AND 게이트

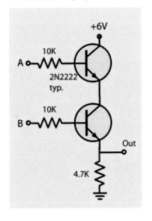

- OR 게이트

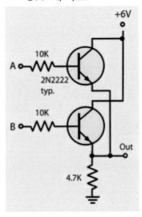

- NAND 게이트

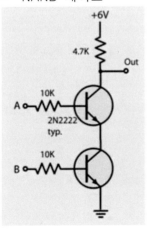

- NOR 게이트(Double Transistor)

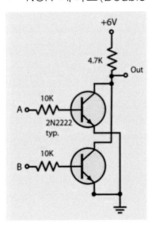

- NOR 게이트(Single Transistor)

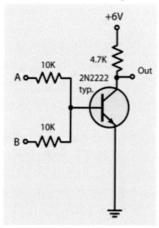

💠 브레드보드 이용 회로 구성

다음은 틴커캐드에서 트랜지스터를 이용한 게이트의 구현 예시이다.

5.7.2.1 예제
- AND 게이트

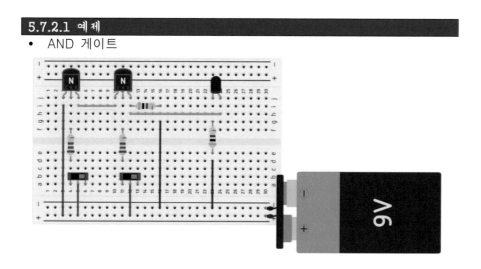

- OR 게이트

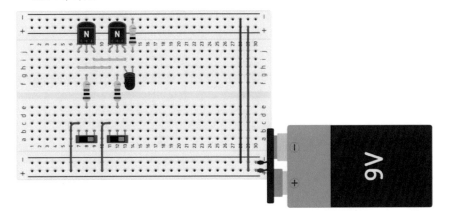

- NOT 게이트

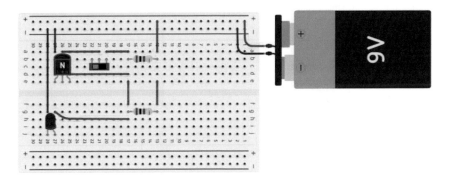

[참고] 트랜지스터의 기능

트랜지스터는 베이스, 컬렉터, 이미터라는 세 개의 단자로 구성된 전자 부품이다. 베이스는 전류의 유입을 조절하는 단자로서, 트랜지스터의 동작을 제어하는 역할을 한다. 컬렉터는 전류가 집중되는 부분으로, 트랜지스터를 통해 흐르는 주 전류 경로의 일부이다. 이미터는 전류가 흐르는 경로에서 나가는 단자로, 전류의 방출을 담당한다. 트랜지스터는 이러한 세 단자를 활용하여 스위칭 작용과 증폭 작용을 수행한다.

✪ 스위칭 작용

베이스에 전류가 공급되지 않으면 컬렉터로의 전류 흐름도 차단된다. 반면, 베이스에 전류가 흐를 때 컬렉터 전류도 함께 흐르기 시작한다. 이를 통해 베이스 전류로 컬렉터 전류를 제어할 수 있다. 이 과정은 수도꼭지를 통해 접시에 물을 채우는 것처럼, 밸브가 열리면서 물이 흐르는 구조와 비교할 수 있다. 이 스위칭 원리는 가로등의 자동 점멸 장치와 같은 다양한 스위치 회로에 활용된다.

✪ 증폭 작용

컬렉터 전류는 베이스 전류에 비해 상당히 크기 때문에, 베이스 전류의 소량 변화에도 컬렉터 전류는 크게 변화한다. 이는 마치 수도꼭지로 적은 양의 물을 조절해 수통을 통해 흐르는 많은 양의 물을 제어하는 원리와 유사하다. 트랜지스터의 이러한 증폭 기능은 음성 신호를 증폭시키는 앰프 등에서 사용된다.

5.7.3 기본 게이트 실습

다음은 틴커캐드에서 각종 게이트를 이용한 실습 예시이다.

5.7.3.1 예제

- AND 게이트(7408 게이트 이용 – 2입력 1출력)

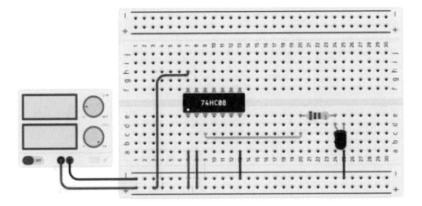

5.7.3.2 예제

- AND 게이트(7411 게이트 이용 – 3입력 1출력)

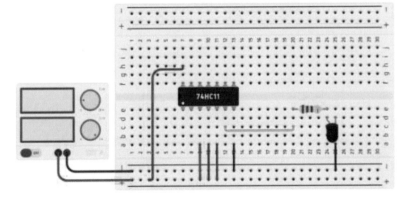

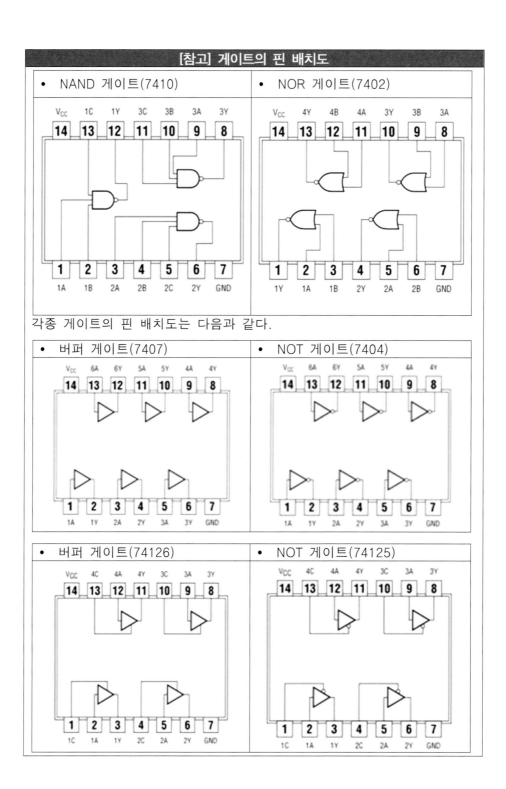

[참고] 게이트의 핀 배치도

NAND 게이트(7410)

NOR 게이트(7402)

각종 게이트의 핀 배치도는 다음과 같다.

버퍼 게이트(7407)

NOT 게이트(7404)

버퍼 게이트(74126)

NOT 게이트(74125)

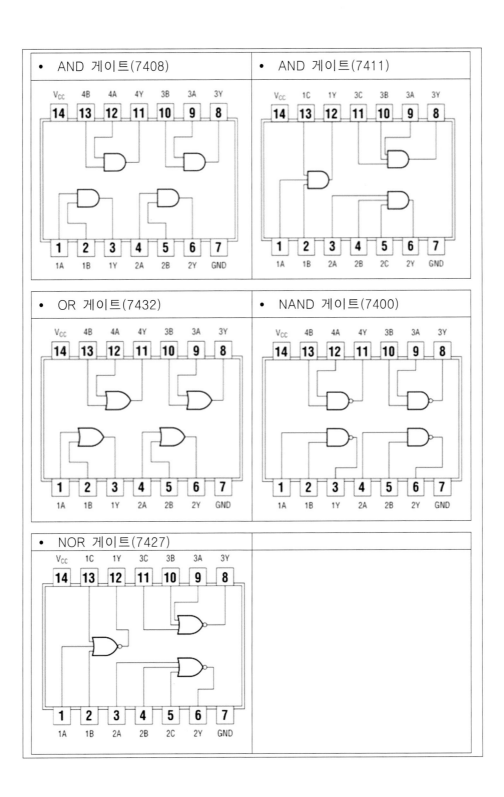

- AND 게이트(7408)
- AND 게이트(7411)
- OR 게이트(7432)
- NAND 게이트(7400)
- NOR 게이트(7427)

5.8. 참고 자료

5.8.1 논리회로의 간소화 증명 실습

아두이노를 이용하면 논리회로의 간소화에 대한 증명을 할 수 있다. 예를 들어, 다음의 어떤 회로의 진리표가 다음과 같을 때, 카르노맵이나 불대수를 이용하여 논리식의 간소화 과정을 거친다. 이때, 간소화 되기 전, 후의 식을 소스 코드로 작성하여 실행해 보면 논리식의 간소화가 잘 되었는지를 확인할 수 있다.

진리표				논리식
A	B	C	F	
0	0	0	0	
0	0	1	0	
0	1	0	0	
0	1	1	1	$F=A'BC+AB'C+ABC'+ABC$
1	0	0	0	$F=AB+AC+BC$
1	0	1	1	
1	1	0	1	
1	1	1	1	

◉ 회로 구성

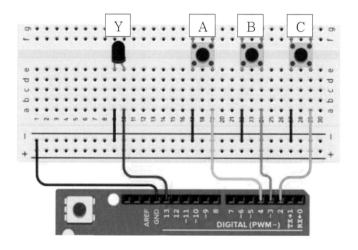

● 소스 코드 및 실행 결과

5.8.1.1 예제

```
01  void setup() {
02    pinMode(13, OUTPUT);
03    pinMode(2, INPUT_PULLUP);
04    pinMode(3, INPUT_PULLUP);
05    pinMode(4, INPUT_PULLUP);
06  }
07
08  void loop() {
09    int C = !(digitalRead(2));
10    int B = !(digitalRead(3));
11    int A = !(digitalRead(4));
12
13    if ( ( !(A) && B && C ) || ( A && !(B) &&  C ) || ( A && B && !(C) )
          || ( A && B && C ) == 1) {
//      if ( ( A && B ) || ( A && C ) || ( B && C )  == 1) {
14      digitalWrite(13, HIGH);
15    } else {
16      digitalWrite(13, LOW);
17    }
18  }
```

13줄은 F=A'BC+AB'C+ABC'+ABC, F=AB+AC+BC 식을 C언어의 논리 연산식으로 나타낸 것이다. 이와 같이 3개의 입력 신호에 대한 1개의 출력 신호를 얻는 형태의 다른 논리식도 13줄의 소스 코드를 적절히 수정하면 작동 상태를 확인할 수 있다. 이러한 두 논리식의 대입을 통해 논리회로를 간소화하는 이유를 확인할 수 있다.

이 소스 코드를 실행하면 앞 페이지의 진리표에서 제시된 내용대로 작동되는 것을 확인할 수 있다.

제6장 조합논리회로 실습(N입력-M출력)

6.1. 개요

6.1.1 조합논리회로

조합논리회로(Combinational Logic Circuit)는 입력값만을 기반으로 출력값을 결정하는 디지털 논리회로를 말한다. 이러한 회로에서는 출력이 현재의 입력 상태에만 의존하며, 이전의 입력 상태나 시간에는 의존하지 않는다. 이는 조합논리회로에 메모리 요소가 없음을 의미한다.

조합논리회로의 예시는 다음과 같다.

- 가산기 및 감산기 : 두 수를 더하거나 뺀 결과를 출력하는 회로
- 인코더 : 여러 개의 입력 중 하나만이 활성화될 때 그 입력의 위치를 출력하는 회로
- 디코더 : 입력된 디지털 코드 값을 각기 다른 출력 라인으로 분배하는 역할을 하는 회로
- 멀티플렉서(선택기): 여러 입력 신호 중 하나를 선택하여 단일 출력 라인으로 전달하는 회로
- 디멀티플렉서(분배기): 하나의 입력을 여러 출력으로 분배하는 회로

조합논리회로의 설계는 주로 논리 게이트를 사용하여 입력과 출력 사이의 관계를 표현하는 진리표나 논리식을 기반으로 한다. 이러한 회로는 순차논리회로와 달리 시간 지연이 적고, 설계가 비교적 간단하다는 장점이 있다. 그러나 복잡한 동작을 모델링하기에는 한계가 있어, 보통 메모리 요소를 포함한 순차논리회로와 함께 사용된다.

6.1.2 반가산기

⚙ 정의

반가산기는 디지털 논리회로에서 가장 기본적인 가산기 유형 중 하나로, 두 개의 이진 비트를 더하는 회로이다. 반가산기는 두 입력 비트에 대해 합(Sum)과 자리 올림 수(Carry) 두 출력을 생성한다. 합은 두 비트의 덧셈 결과를 나타내고, 진은 이 덧셈에서 발생하는 올림수를 나타낸다.

⚙ 진리표

입력 A	입력 B	합 (Sum, S)	자리 올림 수 (Carry, C)
0	0	0	0
0	1	1	0
1	0	1	0
1	1	0	1

⚙ 논리식

- $S = A \oplus B$
- $C = A \cdot B$

6.1.3 전가산기

🌐 정의

전가산기(Full Adder)는 세 개의 이진 입력(두 개의 피연산자 비트와 하나의 이전 자리 올림 수(Carry-in) 비트)를 받아 두 개의 이진 출력(합(Sum)과 자리 올림 수(Carry-out))을 생성하는 회로이다.

🌐 진리표

입력 A	입력 B	이전 자리 올림수 (Carry-in, C_{in})	합 (Sum, S)	자리 올림 수 (Carry-out, C_{out})
0	0	0	0	0
0	0	1	1	0
0	1	0	1	0
0	1	1	0	1
1	0	0	1	0
1	0	1	0	1
1	1	0	0	1
1	1	1	1	1

🌐 논리식

- $S = A \oplus B \oplus C_{in}$
- $C_{out} = C_{in}(A \oplus B) + A \cdot B$

6.1.4 2×4 디코더

🌐 정의

2×4 디코더는 2개의 입력 신호를 받아서 4개의 출력 신호 중 하나만을 활성화하는 회로이다. "2×4"는 2개의 입력으로 4개의 출력을 제어한다는 의미를 나타낸다.

⚫ 진리표

입력 A	입력 B	출력 Y_0	출력 Y_1	출력 Y_2	출력 Y_3
0	0	1	0	0	0
0	1	0	1	0	0
1	0	0	0	1	0
1	1	0	0	0	1

⚫ 논리식

- $Y_0 = B \cdot A$
- $Y_1 = (B' \cdot A)'$
- $Y_2 = (B \cdot A')'$
- $Y_3 = (B \cdot A)'$

6.1.5 BCD-7세그먼트 디코더

⚫ 정의

BCD(2진화 10진 코드)를 7세그먼트 디스플레이용 신호로 변환하는 디코더는 BCD 코드를 입력으로 받아서 해당 숫자를 7세그먼트 디스플레이에서 시각적으로 표현할 수 있는 출력을 생성하는 회로이다.

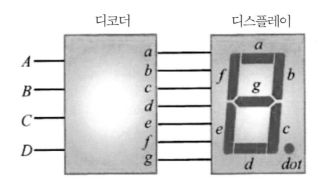

[그림] 디코더와 7-세그먼트 연결

⊕ 진리표 1(1일 때 동작하는 active-high 진리표)

입력(BCD 코드)				출력(7세그먼트)						
D	C	B	A	a	b	c	d	e	f	g
0	0	0	0	1	1	1	1	1	1	0
0	0	0	1	0	1	1	0	0	0	0
0	0	1	0	1	1	0	1	1	0	1
0	0	1	1	1	1	1	1	0	0	1
0	1	0	0	0	1	1	0	0	1	1
0	1	0	1	1	0	1	1	0	1	1
0	1	1	0	1	0	1	1	1	1	1
0	1	1	1	1	1	1	0	0	0	0
1	0	0	0	1	1	1	1	1	1	1
1	0	0	1	1	1	1	1	0	1	1
1	0	1	0	x	x	x	x	x	x	x
1	0	1	1	x	x	x	x	x	x	x
1	1	0	0	x	x	x	x	x	x	x
1	1	0	1	x	x	x	x	x	x	x
1	1	1	0	x	x	x	x	x	x	x
1	1	1	1	x	x	x	x	x	x	x

● 진리표 2(0일 때 동작하는 active-low 진리표)

입력(BCD 코드)				출력(7세그먼트)						
D	C	B	A	a'	b'	c'	d'	e'	f'	g'
0	0	0	0	0	0	0	0	0	0	1
0	0	0	1	1	0	0	1	1	1	1
0	0	1	0	0	0	1	0	0	1	0
0	0	1	1	0	0	0	0	1	1	0
0	1	0	0	1	0	0	1	1	0	0
0	1	0	1	0	1	0	0	1	0	0
0	1	1	0	0	1	0	0	0	0	0
0	1	1	1	0	0	0	1	1	1	1
1	0	0	0	0	0	0	0	0	0	0
1	0	0	1	0	0	0	0	1	0	0
1	0	1	0	x	x	x	x	x	x	x
1	0	1	1	x	x	x	x	x	x	x
1	1	0	0	x	x	x	x	x	x	x
1	1	0	1	x	x	x	x	x	x	x
1	1	1	0	x	x	x	x	x	x	x
1	1	1	1	x	x	x	x	x	x	x

● 논리식(0일 때 동작하는 active-low 진리표를 기준으로 작성한 논리식)

- a' = (D'·C'·B'·A) + C·A'

- b' = (C·B'·A) + (C·B·A')=C·(B⊕A)

- c' = C'·B·A'

- d' = (C'·B'·A) + (C·B'·A') + (C·B·A)

- e' = A + (C·B')

- f' = (B·A) + (C'·B) + (D'·C'·A)

- g' = (D'·C'·B) + (C·B·A)

6.1.6 2진 코드-그레이 코드 변환

⬡ 정의

2진 코드-그레이 코드 변환기는 디지털 논리회로에서 2진 코드를 그레이 코드로 변환하는 회로이다.

⬡ 진리표

입력(2진 코드)				출력(그레이 코드)			
B_3	B_2	B_1	B_0	G_3	G_2	G_1	G_0
0	0	0	0	0	0	0	0
0	0	0	1	0	0	0	1
0	0	1	0	0	0	1	1
0	0	1	1	0	0	1	0
0	1	0	0	0	1	1	0
0	1	0	1	0	1	1	1
0	1	1	0	0	1	0	1
0	1	1	1	0	1	0	0
1	0	0	0	1	1	0	0
1	0	0	1	1	1	0	1
1	0	1	0	1	1	1	1
1	0	1	1	1	1	1	0
1	1	0	0	1	0	1	0
1	1	0	1	1	0	1	1
1	1	1	0	1	0	0	1
1	1	1	1	1	0	0	0

논리식

- $G_3 = B_3$

- $G_2 = B_3' \cdot B_2 + B_3 \cdot B_2' = B_3 \oplus B_2$

- $G_1 = B_2' \cdot B_1 + B_2 \cdot B_1' = B_2 \oplus B_1$

- $G_0 = B_1' \cdot B_0 + B_1 \cdot B_0' = B_1 \oplus B_0$

6.2. '반가산기' 실습

6.2.1 회로 구성

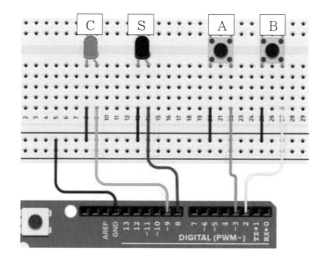

6.2.2 소스 코드 및 실행 결과

6.2.2.1 예제

```
01  #define A_BTN 3
02  #define B_BTN 2
03  #define SUM_LED 8
04  #define CARRY_LED 9
05
06  void setup() {
07    pinMode(A_BTN, INPUT_PULLUP);
08    pinMode(B_BTN, INPUT_PULLUP);
```

```
09        pinMode(CARRY_LED, OUTPUT);
10        pinMode(SUM_LED, OUTPUT);
11    }
12
13    void loop() {
14        int A = !digitalRead(A_BTN);
15        int B = !digitalRead(B_BTN);
16        int SUM = A ^ B;
17        int CARRY = A && B;
18
19        if ( SUM == 1 ) {
20            digitalWrite(SUM_LED, 1);
21            delay(1);
22            digitalWrite(SUM_LED, 0);
23        }
24
25        if ( CARRY == 1 ) {
26            digitalWrite(CARRY_LED, 1);
27            delay(1);
28            digitalWrite(CARRY_LED, 0);
29        }
30    }
```

이 소스 코드는 아두이노를 사용하여 반가산기를 구현하는 예제이다. 반가산기는 두 개의 이진수를 더하는 기본적인 디지털 회로로, 결과로 합(Sum)과 자리올림 (Carry)을 출력한다.

- 01-04줄 : 각 핀의 용도를 정의하는 #define지시어를 사용하여 상수를 선언한 다. 이는 코드 내에서 여러 번 사용될 값에 편리한 이름을 부여한다.

✓ A_BTN과 B_BTN은 두 입력 스위치(버튼)에 연결된 핀이다.

✓ SUM_LED와 CARRY_LED는 각각 합과 자리올림을 나타내는 LED에 연결된 핀이다.

- 06-11줄 : setup()함수에서는 각 핀의 모드를 설정한다.

✓ 입력 핀(A_BTN, B_BTN)은 내부 풀업 저항을 활성화하여 INPUT_PULLUP모드로 설정되어, 버튼이 연결된 핀이 기본적으로 HIGH 상태를 유지하고, 버튼이 눌릴 때 LOW가 된다.

- ✓ 출력 핀(CARRY_LED, SUM_LED)은 OUTPUT모드로 설정된다.

- 14-15줄 : digitalRead()함수를 사용하여 각 버튼의 상태를 읽고, !연산자(논리 부정)로 그 값을 반전시켜 A와 B변수에 저장한다. 이는 INPUT_PULLUP설정 때문에 필요하다.

- 16줄 : XOR 연산자(^)를 사용하여 A와 B의 합을 계산하고 SUM변수에 저장한다. XOR은 두 입력이 서로 다를 때 참(HIGH)이 된다.

- 17줄 : AND 연산자(&&)를 사용하여 A와 B의 자리올림을 계산하고 CARRY 변수에 저장한다. AND는 두 입력이 모두 참일 때 참(HIGH)이 된다.

- 19-23줄, 25-29줄 : SUM과 CARRY의 상태에 따라 관련된 LED를 잠깐동안 켜고 다시 끄는 코드를 실행한다. 이는 HIGH상태일 때 해당 LED를 켜고, delay(1)으로 1밀리초 후에 끈다. 이렇게 하는 이유는 LED가 짧게 깜빡이도록 하여 결과를 눈으로 확인하기 쉽게 하기 위함이다.

6.2.3 디지털 논리회로 보드 II 이용 실습

디지털 논리회로 보드 II에서 아두이노의 디지털 핀 3번, 4번에 LED(풀다운 방식)를, 디지털 핀 11번, 12번에 버튼(내부 풀업 저항 이용)을 연결하였다. 12번 핀에 연결된 버튼을 입력 A, 11번 핀에 연결된 버튼을 입력 B, 3번 핀에 연결된 LED를 출력 S, 4번에 연결된 LED를 출력 C라고 가정하고, 앞의 소스 코드를 적절히 수정하여 반가산기를 구현해 보자.

6.3. '전가산기' 실습

6.3.1 회로 구성

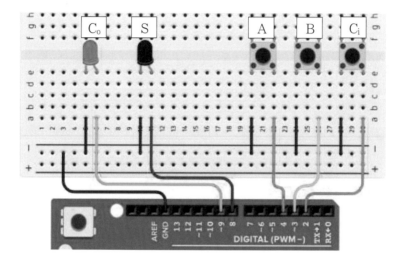

6.3.2 소스 코드 및 실행 결과

```
6.3.2.1 예제
01  #define A_BTN 4
02  #define B_BTN 3
03  #define CARRY_IN_BTN 2
04  #define SUM_LED 8
05  #define CARRY_OUT_LED 9
06
07  void setup() {
08    pinMode(A_BTN, INPUT_PULLUP);
09    pinMode(B_BTN, INPUT_PULLUP);
10    pinMode(CARRY_IN_BTN, INPUT_PULLUP);
11    pinMode(CARRY_OUT_LED, OUTPUT);
12    pinMode(SUM_LED, OUTPUT);
13  }
14
15  void loop() {
```

```
16    int A = !digitalRead(A_BTN);
17    int B = !digitalRead(B_BTN);
18    int Ci = !digitalRead(CARRY_IN_BTN);
19    int S = (A ^ B) ^ Ci;
20    int Co = (Ci && (A ^ B)) || (A && B);
21
22    if (S == 1) {
23      digitalWrite(SUM_LED, HIGH);
24      delay(1);
25      digitalWrite(SUM_LED, LOW);
26    }
27
28    if (Co == 1) {
29      digitalWrite(CARRY_OUT_LED, HIGH);
30      delay(1);
31      digitalWrite(CARRY_OUT_LED, LOW);
32    }
33  }
```

이 소스 코드는 아두이노를 사용하여 전가산기(Full Adder)를 구현하는 예제이다. 전가산기는 두 이진수와 이전 자리에서의 올림수(Carry-In)를 더하는 회로로, 결과로 합(Sum)과 새로운 올림수(Carry-Out)를 출력한다.

- 01-05줄 : 각 핀의 용도를 정의하는 #define지시어를 사용하여 상수를 선언한다. 이는 코드의 가독성을 높이고, 나중에 핀 번호를 변경할 때 쉽게 수정할 수 있도록 한다.

✓ A_BTN, B_BTN, CARRY_IN_BTN은 입력 버튼으로 사용된다. 이들은 각각 A, B 입력과 Carry-In 값을 받는다.

✓ SUM_LED, CARRY_OUT_LED는 출력 LED로, 각각 합과 새로운 올림수를 나타낸다.

- 07-13줄 : setup()함수에서는 핀 모드를 설정한다. 입력 버튼은 INPUT_PULLUP 모드로 설정하여 내부 풀업 저항을 활성화하고, 출력 LED는 OUTPUT 모드로 설정된다.

- 15-33줄 : loop()함수에서는 입력 버튼의 상태를 읽고, 전가산기의 논리를 계산하여 결과에 따라 LED를 제어한다.
- 16-18줄 : 각 입력 버튼(A_BTN, B_BTN, CARRY_IN_BTN)에서 디지털 값을 읽어와서 버튼이 눌렸는지를 판단한다. INPUT_PULLUP설정 때문에 논리 부정(!)을 사용하여 버튼 눌림 상태를 HIGH로 변환한다.
- 19줄 : XOR 연산자(^)를 사용하여 A, B 입력과 Carry-In의 합(S)을 계산한다.
- 20줄 : 논리 연산을 통해 새로운 Carry-Out(Co) 값을 계산한다. 이는 (Carry-In과 A XOR B의 논리곱) 또는 (A와 B의 논리곱)으로 정의된다.
- 22-26줄, 28-32줄: 계산된 합(S)와 올림수(Co)에 따라 각각 SUM_LED와 CARRY_OUT_LED를 켜고 바로 끄는 방식으로 출력한다.

6.3.3 디지털 논리회로 보드 II 이용 실습

디지털 논리회로 보드 II에서 아두이노의 디지털 핀 3번, 4번에 LED(풀다운 방식)를, 디지털 핀 10번, 11번, 12번에 버튼(내부 풀업 저항 이용)을 연결하였다. 12번 핀에 연결된 버튼을 입력 A, 11번 핀에 연결된 버튼을 입력 B, 10번 핀에 연결된 버튼을 입력 C_i, 3번 핀에 연결된 LED를 출력 S, 4번에 연결된 LED를 출력 C_o라고 가정하고, 앞의 소스 코드를 적절히 수정하여 전가산기를 구현해 보자.

6.4. 'BCD-7세그먼트' 실습

6.4.1 회로 구성

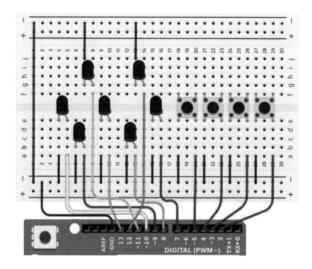

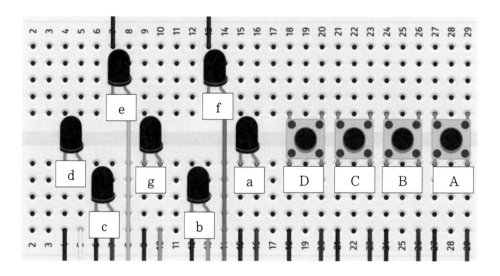

6.4.2 소스 코드 및 실행 결과

6.4.2.1 예제

```
01 | #define A_IN 2
02 | #define B_IN 3
03 | #define C_IN 4
04 | #define D_IN 5
05 | #define a_OUT 7
06 | #define b_OUT 8
07 | #define c_OUT 9
08 | #define d_OUT 10
09 | #define e_OUT 11
10 | #define f_OUT 12
11 | #define g_OUT 13
12 | #define delay_time 1
13 |
14 | void setup() {
15 |   pinMode(A_IN, INPUT_PULLUP);
16 |   pinMode(B_IN, INPUT_PULLUP);
17 |   pinMode(C_IN, INPUT_PULLUP);
18 |   pinMode(D_IN, INPUT_PULLUP);
19 |   pinMode(a_OUT, OUTPUT);
20 |   pinMode(b_OUT, OUTPUT);
21 |   pinMode(c_OUT, OUTPUT);
22 |   pinMode(d_OUT, OUTPUT);
23 |   pinMode(e_OUT, OUTPUT);
24 |   pinMode(f_OUT, OUTPUT);
25 |   pinMode(g_OUT, OUTPUT);
26 | }
27 |
28 | void loop() {
29 |   int A = !digitalRead(A_IN);
30 |   int B = !digitalRead(B_IN);
31 |   int C = !digitalRead(C_IN);
32 |   int D = !digitalRead(D_IN);
33 |   int a = (!D && !C && !B && A) || (C && !A);
34 |   int b = (C && !B && A) || (C && B && !A);
35 |   int c = !C && B && !A;
```

```
36    int d = (!C && !B && A) || (C && !B && !A) || (C && B && A);
37    int e = A || (C && !B);
38    int f = (B && A) || (!C && B) || (!D && !C && A);
39    int g = (!D && !C && !B) || (C && B && A);
40
41    if (!a == HIGH) {
42      digitalWrite(a_OUT, HIGH);
43      delay(delay_time);
44      digitalWrite(a_OUT, LOW);
45    }
46
47    if (!b == HIGH) {
48      digitalWrite(b_OUT, HIGH);
49      delay(delay_time);
50      digitalWrite(b_OUT, LOW);
51    }
52
53    if (!c == HIGH) {
54      digitalWrite(c_OUT, HIGH);
55      delay(delay_time);
56      digitalWrite(c_OUT, LOW);
57    }
58
59    if (!d == HIGH) {
60      digitalWrite(d_OUT, HIGH);
61      delay(delay_time);
62      digitalWrite(d_OUT, LOW);
63    }
64
65    if (!e == HIGH) {
66      digitalWrite(e_OUT, HIGH);
67      delay(delay_time);
68      digitalWrite(e_OUT, LOW);
69    }
70
71    if (!f == HIGH) {
72      digitalWrite(f_OUT, HIGH);
```

```
73 |     delay(delay_time);
74 |     digitalWrite(f_OUT, LOW);
75 |   }
76 |
77 |   if (!g == HIGH) {
78 |     digitalWrite(g_OUT, HIGH);
79 |     delay(delay_time);
80 |     digitalWrite(g_OUT, LOW);
81 |   }
82 | }
```

이 소스 코드는 버튼으로 4비트의 신호를 입력 받아 7개의 LED(7세그먼트)를 제어하는 예제이다. 코드는 입력된 4비트 바이너리 값에 따라 7세그먼트의 각 세그먼트(a, b, c, d, e, f, g)를 적절히 켜고 끄는 논리회로를 구현한다.

- 01-11줄 : 각각의 입력 핀(A_IN, B_IN, C_IN, D_IN)과 출력 핀(a_OUT, b_OUT, c_OUT, d_OUT, e_OUT, f_OUT, g_OUT)에 대해 상수를 정의한다. 이는 코드의 가독성과 관리를 용이하게 하며, 핀 번호의 변경이 필요할 때 유용하다.

- 12줄 : delay_time을 1로 정의하여, 이후 코드에서 딜레이 시간을 관리하기 쉽게 한다.

- 14-26줄 : setup()함수에서는 모든 입력 핀을 내부 풀업 저항을 사용하는 입력 모드로, 모든 출력 핀을 출력 모드로 설정한다.

- 29-32줄 : digitalRead()함수로 각 입력 핀의 상태를 읽고, !연산자를 사용해 논리적으로 반전시켜 각 입력 변수(A, B, C, D)에 저장한다.

- 33-39줄 : 입력된 4비트에 따라 7세그먼트 디스플레이의 각 세그먼트(a, b, c, d, e, f, g)를 제어하기 위한 논리식을 계산하고, 각 세그먼트 변수에 결과를 할당한다. 이 논리식은 입력 조합에 따라 각 세그먼트가 켜져야 할지 말아야 할지 결정한다. 예를 들어, int a = (!D&&!C&&!B&&A)||(C&&!A);는 세그먼트 a가 켜져야 하는 조건을 두 가지로 정의한다.

- 41-81줄 : 각 세그먼트 변수의 값을 검사하여, 해당 세그먼트를 짧은 시간 (delay_time으로 정의된 1밀리초) 동안 켜고 끈다. 이는 !a == HIGH와 같은 조건을 사용하여 세그먼트가 켜져야 할 때만 출력 핀을 HIGH로 만든다. 즉, 세그먼트가 LOW일 때 HIGH를 출력하여 켜는 방식이다.

[참고] 실제 7세그먼트로 소스 코드 실행해 보기

실제 7세그먼트 부품을 이용하여 회로를 구성하고 앞의 소스 코드를 넣어보면 BCD 코드(2진 코드) 신호에 따라 7세그먼트가 작동하는 것을 확인할 수 있다.

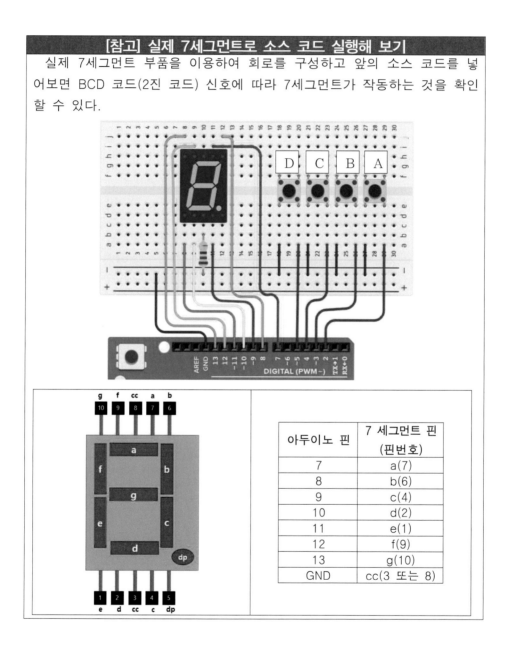

아두이노 핀	7 세그먼트 핀 (핀번호)
7	a(7)
8	b(6)
9	c(4)
10	d(2)
11	e(1)
12	f(9)
13	g(10)
GND	cc(3 또는 8)

6.4.3 디지털 논리회로 보드 Ⅲ 이용 실습

디지털 논리회로 보드 Ⅲ에서 아래와 같이 7세그먼트 회로를 구성하고 있다. 앞의 소스 코드를 적절히 수정하여 BCD-7세그먼트를 구현해 보자.

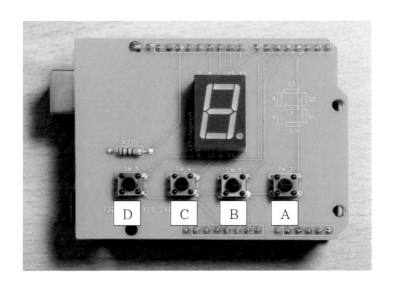

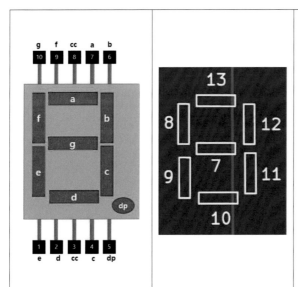

아두이노 핀	버튼
2	A
3	B
4	C
5	D

아두이노 핀	7 세그먼트 핀 (핀번호)
7	g(10)
8	f(9)
9	e(1)
10	d(2)
11	c(4)
12	b(6)
13	a(7)
GND	cc(3 또는 8)

6.5. '2진 코드 - 그레이 코드 변환' 실습

6.5.1 회로 구성

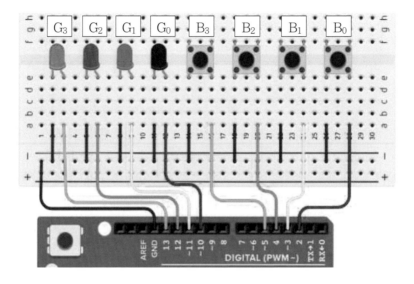

6.5.2 소스 코드 및 실행 결과

```
6.5.2.1 예제
01   #define B0_BTN 2
02   #define B1_BTN 3
03   #define B2_BTN 4
04   #define B3_BTN 5
05   #define G0_LED 10
06   #define G1_LED 11
07   #define G2_LED 12
08   #define G3_LED 13
09   #define DELAY_TIME 1
10
11   void setup() {
12     pinMode(B0_BTN, INPUT_PULLUP);
13     pinMode(B1_BTN, INPUT_PULLUP);
14     pinMode(B2_BTN, INPUT_PULLUP);
15     pinMode(B3_BTN, INPUT_PULLUP);
```

```
16    pinMode(G0_LED, OUTPUT);
17    pinMode(G1_LED, OUTPUT);
18    pinMode(G2_LED, OUTPUT);
19    pinMode(G3_LED, OUTPUT);
20  }
21
22  void loop() {
23    int b0 = !digitalRead(B0_BTN);
24    int b1 = !digitalRead(B1_BTN);
25    int b2 = !digitalRead(B2_BTN);
26    int b3 = !digitalRead(B3_BTN);
27    int g3 = b3;
28    int g2 = b3 ^ b2; // (!b3 && b2) || (b3 && !b2)
29    int g1 = b2 ^ b1; // (!b2 && b1) || (b2 && !b1)
30    int g0 = b1 ^ b0; // (!b1 && b0) || (b1 && !b0)
31
32    if (g0 == 1) {
33      digitalWrite(G0_LED, HIGH);
34      delay(DELAY_TIME);
35      digitalWrite(G0_LED, LOW);
36    }
37
38    if (g1 == 1) {
39      digitalWrite(G1_LED, HIGH);
40      delay(DELAY_TIME);
41      digitalWrite(G1_LED, LOW);
42    }
43
44    if (g2 == 1) {
45      digitalWrite(G2_LED, HIGH);
46      delay(DELAY_TIME);
47      digitalWrite(G2_LED, LOW);
48    }
49
50    if (g3 == 1) {
51      digitalWrite(G3_LED, HIGH);
52      delay(DELAY_TIME);
53      digitalWrite(G3_LED, LOW);
54    }
55  }
```

이 소스 코드는 버튼으로 입력된 2진 코드를 읽고, 그 값을 그레이 코드로 변환하여 LED를 통해 표시하는 예제이다.

- 01-08줄 : 각각의 버튼(B0부터 B3)과 LED(G0부터 G3)에 대한 핀 번호가 정의된다.

- 09줄 : LED가 켜지고 꺼지는 간격을 정의하는 DELAY_TIME상수가 설정된다.

- 11-20줄 : setup()함수에서는 모든 입력 버튼 핀을 내부 풀업 저항을 사용하는 입력 모드로 설정하고, 모든 LED 핀을 출력 모드로 설정한다. 내부 풀업 저항을 사용함으로써, 버튼이 눌리지 않았을 때는 핀 상태가 자동으로 HIGH가 되고, 버튼이 눌렸을 때 LOW가 된다.

- 23-26줄 : 각 버튼의 상태를 읽어서 논리적 반전(!)을 사용하여 HIGH/LOW를 뒤집는다. 이는 내부 풀업 저항 설정 때문에 필요한 조치다.

- 27-30줄 : 입력된 2진 코드를 그레이 코드로 변환하는 계산을 수행한다.

✓ g3는 입력 b3와 동일하다(그레이 코드에서 최상위 비트는 동일).

✓ g2에서 g0는 연속된 비트들의 XOR을 통해 계산된다. XOR 연산은 두 비트가 서로 다를 때 1을 반환한다.

- 32-53줄 : 각 그레이 코드 비트(g0에서 g3)에 대해, 해당 비트가 1일 경우에만 해당 LED를 잠시동안(DELAY_TIME만큼) 켰다가 끈다. 이를 통해 변환된 그레이 코드 값이 LED에 표시된다.

6.5.3 디지털 논리회로 보드 II 이용 실습

디지털 논리회로 보드 II에서 아두이노의 디지털 핀 2번, 3번, 4번, 5번에 버튼 (내부 풀업 저항 이용)을, 디지털 핀 10번, 11번, 12번, 13에 LED(풀다운 방식)를 연결하였다. 13번 핀에 연결된 버튼을 입력 B_3, 12번 핀에 연결된 버튼을 입력 B_2, 11번에 연결된 버튼을 입력 B_1, 10번에 연결된 버튼을 입력 B_0, 5번 핀에 연결된 LED를 G_3, 4번 핀에 연결된 LED를 G_2, 3번 핀에 연결된 LED를 G_1, 2번 핀에 연결된 LED를 G_0라고 가정하고, 앞의 소스 코드를 적절히 수정하여 2진-그레이 코드 변환기를 구현해 보자.

참고 문헌

이은상. (2023). 메이커를 위한 아두이노. 서울: 부크크.

이은상. (2024). 전자 부품으로 체험하는 아두이노. 서울: 부크크.

임석구, 홍경호. (2016). 처음 만나는 디지털 논리회로. 서울: 한빛 아카데미